Ensuite

Cahier de laboratoire et d'exercices écrits

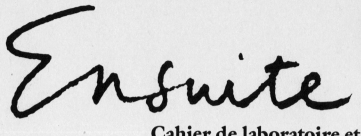

Ensuite

Cahier de laboratoire et d'exercices écrits

Chantal P. Thompson
Brigham Young University

Robert E. Vicars
Millikin University

McGraw-Hill Publishing Company

New York   St. Louis   San Francisco   Auckland   Bogotá   Caracas
Hamburg   Lisbon   London   Madrid   Mexico   Milan
Montreal   New Delhi   Oklahoma City   Paris   San Juan
São Paulo   Singapore   Sydney   Tokyo   Toronto

This is an  book

1 2 3 4 5 6 7 8 9 0 MAL MAL 8 9 4 3 2 1 0 9

ISBN 0-07-557582-5

Developmental editor: Eileen LeVan
Project editor: Cathy de Heer
Project assistant: Elizabeth McDevitt
Copyeditor: Xavier Callahan
Proofreader: Edith Gladstone
Illustrations: Wendy Wheeler
Typesetting: Margaret Hines

Grateful acknowledgment is made for the following: *Page 9,* © C & A; *27,* © Cogedim; *37,* NYTSS/*L'Express; 45, L'Express,* 31 May 1985, p. 27; *73, Le Figaro,* 19-20 March 1988; *85, L'Express,* 1985; *87,* illustration by Rosy published in *Maison Française,* July-August 1987, p. 127; *99,* NYTSS/*L'Express,* 2 May 1986, p. 40; *102,* © CBI; *110,* French Transportation Ministry; *119,* © Renault; *141,* SNCF; *150,* © Pains Turner; *162,* INSEE, 1982; *165, Femme Actuelle; 166, Femme Actuelle,* 25-31 July 1988, pp. 55-56; *175, 20 Ans; 186,* "Cathédrale" by Auguste Rodin, Musée Rodin, Paris; *224, Le Monde,* 15 and 16 February 1987.

Table des matières

Préface

Each chapter of the *Cahier de laboratoire et d'exercices écrits* has two parts. The first part, *Exercices oraux,* should be used with the *Ensuite* tape program. The second part, *Exercices écrits,* contains written exercises to provide additional practice with the vocabulary and grammatical structures of the chapter, as well as synthetic writing activities.

The *Exercices oraux* are divided into a listening comprehension section, *A l'écoute de la vie,* and a speaking practice section, *A vous la parole. A l'écoute de la vie* has students listen to an unscripted authentic conversation with a native French speaker. Pre-listening and listening activities help students understand the interviews. The speaking section of the laboratory program, *A vous la parole,* begins with pronunciation practice of a topic relevant to the grammar and vocabulary in the chapter. *Paroles et structures* offers contextualized activities using chapter vocabulary and grammar, progressing from focused to more creative practice. *A vous la parole* concludes with a dictation, generally followed by a brief comprehension activity. (Scripts for the dictation can be found in the *Tapescript.*) Answers to all of the exercises in the *Exercices oraux* section are given either on the tape or in the *Réponses* section of the manual.

Exercices écrits, the section containing written exercises, provides additional focused practice with the vocabulary and grammar in the student text, to complement the communicative activities in the book. It also offers open-ended sentence- and paragraph-writing activities to help develop writing skills in a step-by-step fashion. The answers to many of the written exercises are provided at the back of the student manual so that students can check their own work and track their progress. In most cases, answers are not provided for exercises that require a creative or a personal answer.

Thème I

Chapitre 1

EXERCICES ORAUX

A l'écoute de la vie

Note: Each chapter of the lab program begins with an activity, called Avant d'écouter. *Do the activity before you listen to the tape, to help you remember related vocabulary and anticipate what you will hear.*

AVANT D'ECOUTER

Supposez que vous êtes dans un magasin de vêtements (ou de «prêt-à-porter») pour jeunes, et que vous parlez à une vendeuse de ce qui se vend bien *pour l'été*. Pensez à ce que portent vos amis, et faites une liste des vêtements, des couleurs et des tissus qui, selon vous, risquent d'être mentionnés.

VETEMENTS   COULEURS   TISSUS

_____   _____   _____

_____   _____   _____

_____   _____   _____

A L'ECOUTE

> **Rassurez-vous!** You are about to listen to an authentic conversation originally recorded in a French clothing store. You will probably not understand everything you hear, but don't worry. To do the activities in this section, you need to listen only for specified information. Each time, before you listen to the recorded conversation, read the instructions for the task at hand. Focus on what you're asked to listen for, and ignore what you don't need to know. As you learn various strategies for listening, authentic speech will become increasingly easier for you to understand.

A. Ecoutez la séquence sonore une première fois en faisant une croix (X) devant les vêtements, couleurs et tissus que vous aviez anticipés dans l'exercice précédent et qui sont réellement mentionnés.

MODELE: tissus →

_____ nylon _____

X _____ coton _____

B. Ecoutez une deuxième fois et identifiez le mot qui est une abréviation pour *fluorescent*.

1. Ecrivez l'abréviation. _____

2. Combien de fois ce mot est-il mentionné? _____

C. Ecoutez une troisième fois et complétez les phrases suivantes.

Les _____[1] en toile (= coton), qui sont des _____[2] longs, sont très

populaires, avec des _____[3] assortis. Il y a aussi beaucoup de _____[4]

en toile, dans les couleurs beige, _____[5] ou _____.[6] Les couleurs de

l'été sont de deux sortes: _____[7] ou _____[8]

Comme tissus, il y a donc beaucoup de _____,[9] beaucoup de viscose, des choses très

_____.[10]

A vous la parole

PHONETIQUE

Final Consonants

Note: The following phonetic explanation is not on the tape. Read through the information, then turn the tape back on to do the following exercises.

In French, a final consonant is generally not pronounced unless it is followed by an *e*. As you know, this rule often applies to the masculine and feminine forms of adjectives, such as **français, française.**

Like most consonants, the final *s* indicating the plural is not pronounced. Compare: **petit, petits; grande, grandes.** To learn if a descriptive adjective or a noun is singular or plural, you often have to listen for other clues, such as articles, certain possessive adjectives, or the general context. Compare: **les amis, l'ami.**

Four consonants do not follow the silent final consonant rule. They are final *c, r, f,* and *l* (think of *careful*). *C, r, f,* and *l* are usually pronounced whether or not they are followed by an *e*. Compare: **noir(s), noire(s); original, originale.**

Now turn on the tape. As you practice final consonants, be sure that you pronounce them completely or not at all.

A. **Les consonnes finales: prononcées ou non?** Lisez chacune des expressions suivantes à haute voix en faisant attention de prononcer les consonnes finales s'il le faut. Ensuite, écoutez la prononciation sur la cassette et répétez l'expression.

1. les cheveux blonds
2. les yeux verts
3. une sœur timide
4. tes chaussettes roses
5. mon pull à manches longues
6. leurs sacs en cuir

B. **Singulier ou pluriel?** Si l'expression que vous entendez est au singulier, répondez au pluriel; si elle est au pluriel, répondez au singulier.

MODELES: a. *Vous entendez:* mon livre noir
Vous répondez: mes livres noirs

b. *Vous entendez:* vos autres robes
Vous répondez: votre autre robe

1. ...   2. ...   3. ...   4. ...   5. ...   6. ...

C. Masculin, féminin. Vous allez décrire deux camarades de classe imaginaires. Ils sont complètement différents l'un de l'autre. Complétez les phrases suivantes en donnant l'alternative masculine ou féminine selon le cas. Attention de bien prononcer la consonne finale, s'il le faut.

MODELE: *Vous entendez:* Il est grand, et elle?
          Vous répondez: Il est grand, mais elle n'est pas grande.

1. ...   2. ...   3. ...   4. ...   5. ...

PAROLES ET STRUCTURES

A. Des descriptions indirectes. Vous allez entendre des phrases négatives qui décrivent certaines personnes. A vous de formuler une phrase directe—à la forme affirmative—pour exprimer la même idée. (Ensuite, répétez la réponse modèle.) Adjectifs utiles: *réaliste, optimiste, beau, bouclé, raide, court, mince.*

MODELE: *Vous entendez:* Catherine n'est pas petite.
          Vous répondez: Alors, elle est grande.

1. ...   2. ...   3. ...   4. ...   5. ...   6. ...

B. Maintenant à vous! Finies les descriptions indirectes. Décrivez-vous en répondant aux demandes que vous entendrez.

MODELE: *Vous entendez:* Décrivez vos yeux.
          Vous répondez: J'ai les yeux bleus.

1. ...   2. ...   3. ...

C. Vive la différence! Regardez les trois dessins ci-dessous, puis répondez aux questions qui seront répétées deux fois.

Monsieur Richard

Nicole

Madame Richard

1. ...   2. ...   3. ...   4. ...   5. ...

D. Maintenant à vous! Faites une description des vêtements que vous portez aujourd'hui en répondant aux questions.

1. ...   2. ...   3. ...   4. ...

E. Les copains de Jean-Jacques. Jean-Jacques est lycéen à Strasbourg. Il va décrire certains de ses copains. Vous allez lui servir d'écho en suivant le modèle. Attention à la place de l'adjectif dans votre réponse.

MODELES: a.   *Vous entendez:* Jacqueline est jolie.
                    Vous répondez: Oui, c'est une jolie jeune femme.

               b.   *Vous entendez:* Pierre est énergique.
                    Vous répondez: Oui, c'est un jeune homme énergique.

1. ...   2. ...   3. ...   4. ...   5. ...   6. ...

F. A qui sont ces vêtements? Votre camarade de chambre et vous, vous êtes à la laverie de la résidence universitaire. Il y a beaucoup de vêtements sur une table. Posez des questions à votre camarade pour déterminer à qui sont ces vêtements.

MODELE:

rouge / Christine → Est-ce que c'est le chemisier rouge de Christine?

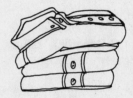

1. vert / Marie-Paule   2. en coton / Marc   3. beau / Michel et Paul

4. blanc / Dominique   5. vieux / Virginie

G. Des garde-robes variées. Vous allez entendre une phrase d'introduction sur cinq personnes. Après avoir entendu la phrase, indiquez oralement trois articles que cette personne a probablement dans sa garde-robe.

MODELE: *Vous entendez:* Monique est étudiante.
              Vous répondez: Dans sa garde-robe, elle a des jupes, des chemisiers et des blue-jeans.

1. ...   2. ...   3. ...   4. ...   5. ...

Dictée

Vous entendrez la dictée deux fois. La première fois, écoutez. La deuxième fois, écrivez les mots qui manquent pour compléter le texte ci-dessous. Ensuite, réécoutez le premier enregistrement pour corriger. A la fin, devinez (*guess*) le nom de la princesse en question.

—Miroir, mon doux miroir, dis-moi qui est la plus _____ de tout le royaume?

—C'est une princesse avec _____,

_____ et la peau _____.

La reine, alors, se déguisa en _____,

_____, _____,

_____, qui cachaient (*hid*)

_____ . _____ de jalousie,

elle alla chercher sa _____ rivale.

Nom de la princesse? (en anglais ou en français) _____

EXERCICES ECRITS

Paroles

A. **Les deux frères.** Normalement il y a quelques ressemblances entre deux frères. Mais Paul et Michel font exception à la règle car ils ne se ressemblent pas du tout. Regardez les dessins et complétez les phrases suivantes. Utilisez autant de vocabulaire du chapitre que possible.

Michel   Paul

1. Michel est grand, mais _____

2. Paul est gros, mais _____

3. Michel a les cheveux _____ mais _____

_____

4. Michel est maigre et musclé, mais Paul _____

_____

5. Michel et Paul ont tous les deux des troubles de la vue. Michel porte des lentilles alors que Paul

_____

_____

B. Les différences entre les deux frères ne sont pas seulement physiques. Leurs personnalités sont aussi opposées. A vous d'attribuer à chacun des qualités. Complétez les phrases. Faites preuve d'imagination.

Michel est idéaliste mais son frère Paul est réaliste. Quand ils n'ont plus d'argent à la fin du mois, par

exemple, Paul _____[1] tandis que Michel _____.[2]

Michel, par contre, est bien plus _____[3] que Paul. Le week-end, il est serveur dans

un restaurant. Plus _____[4] que son frère, Paul travaille le moins possible. Paul est

le plus _____[5] des deux. Il adore rencontrer des copains dans un café pour parler

sport ou politique. Michel est parfois obstiné, il _____.[6]

Quand il est obstiné, son frère Paul _____.[7]

C. **A chacun son look.** Voici des mini-descriptions de quatre jeunes Français. A vous de les compléter avec le(s) mot(s) ou l'expression convenable de la liste ci-dessous. On ne peut utiliser chaque mot ou expression qu'une seule fois.

de chaussettes	un tailleur
son manteau et ses gants	un jogging et un polo
un pull ou un blouson	des bottes
une cravate	imprimée
de grosses chaussettes blanches	un chemisier blanc
son imperméable	un parapluie

Il ne fait plus froid et Edouard n'est plus obligé de mettre _____[1] tous les

jours. Aujourd'hui, par exemple, il porte un blue-jean et une chemise _____.[2]

En plus, il porte des baskets mais pas _____[3]

Par contre, Sylvie, qui travaille comme adjointe au directeur d'une agence de voyage, doit s'habiller

très correctement en semaine. En ce moment, elle porte _____[4] en laine et

_____.[5] Il pleut beaucoup en cette saison, et donc elle porte aussi

_____,[6] et elle prend _____[7] avec elle.

Ce soir Pierre va au théâtre et il a décidé de mettre un costume, une chemise blanche, et

_____[8] en soie. Il doit faire froid ce soir. Par précaution donc, Pierre va

mettre aussi _____.[9]

Nicole vient de rentrer de la salle de gymnastique où elle a fait de l'aérobic. C'est pour cela qu'elle

porte _____.[10] Elle porte également des chaussures spéciales pour le sport

avec _____[11]

D. Qui porte quoi? Pour chacun des personnages suivants, écrivez une phrase où vous indiquez quels vêtements (et de quelle couleur) il porte d'habitude.

1. une étudiante sportive _____

_____

2. un étudiant BCBG _____

_____

3. un étudiant techno _____

_____

4. un vieux professeur sévère _____

_____

5. une jeune femme professeur très chic _____

_____

E. Et vous? Ecrivez un paragraphe de quatre ou cinq phrases où vous décrivez le genre de vêtements que vous portez le plus souvent. Pourriez-vous résumer votre look en quelques mots?

_____

_____

_____

_____

_____

_____

_____

_____

Structures

A . La sœur jumelle. Catherine est la sœur jumelle de Bertrand. Réécrivez le paragraphe suivant pour décrire Catherine. Attention surtout aux adjectifs qu'il faudra mettre au féminin.

Bertrand est grand et beau. Il est aussi dynamique et toujours actif. En général il n'est pas trop travailleur, mais au moment des examens il devient très studieux. Parfois il est frivole et léger, surtout quand il sort avec ses amis.

Catherine _____

_____

_____

_____

_____

B . Bertrand et Catherine. Réécrivez le même paragraphe, mais cette fois utilisez un sujet pluriel: Bertrand et Catherine. Faites donc attention au pluriel des adjectifs (et des verbes).

Bertrand et Catherine _____

_____

_____

_____

_____

C . «C'est tout nouveau, ça vient de sortir!» Astrid, une vendeuse dans une boutique pour jeunes, décrit la nouvelle mode. Mettez les adjectifs à la forme et à la place correcte (devant *ou* après le nom). Quelquefois il faut laisser un blanc.

Qu'est-ce qui se vend bien cet été? C'est surtout les _____[1] shorts _____[2] (*fluo,*

long) et les _____[3] tee-shirts _____[4] (*assorti*). Les garçons et les filles portent à

peu près la _____[5] chose _____[6] (*même*). Il y a beaucoup de _____[7]

blousons _____[8] (*beige, classique*) en toile. Dans les chemises: beaucoup de viscose, des

_____[9] choses _____[10] (*très léger*).

D . En ville. Regardez et décrivez les gens qui passent: la femme, le garçon, l'homme, le jeune homme, l'agent de police, la vieille dame, etc. Adjectifs possibles: *grand, petit, jeune, vieux, élégant, sympathique, timide, sportif, pauvre, beau, joli, gentil, content, blond, brun,* ...

MODELE: La jeune femme en jogging est grande, sportive et elle a les cheveux noirs.

_____

_____

_____

_____

_____

_____

_____

_____

_____

_____

E. Le look des jeunes Didier: dessin à compléter. Les jeunes Didier sont mannequins. Décrivez leurs vêtements. D'après la mode, imaginez aussi la couleur des vêtements. Utilisez des adjectifs possessifs pour éviter la répétition.

_____

_____

_____

_____

_____

_____

_____

_____

_____

F. Le look privé des jeunes Didier. Vous venez de décrire le look professionnel des jeunes Didier. Maintenant, décrivez leur look privé. Imaginez leur personnalité, leur âge et leurs activités préférées.

_____

_____

_____

_____

_____

_____

_____

_____

Chapitre 2

EXERCICES ORAUX

A l'écoute de la vie

AVANT D'ECOUTER

Etude de mots. Devinez par le contexte le sens des mots en italique, puis cochez (*check*) la traduction convenable.

1. Je n'habite pas à Paris même, mais juste à côté de Paris, dans *la banlieue* parisienne.
   ☐ country ☐ suburb

2. *Un mécanicien*, c'est quelqu'un qui répare les moteurs et les machines.
   ☐ mechanic ☐ manual worker

3. Quand on parle sans penser, on dit parfois *des bêtises*.
   ☐ something stupid ☐ something thoughtful

4. Mes grands-parents ne sont plus en vie, ils sont *décédés*.
   ☐ decisive ☐ deceased

A L'ECOUTE

> **Rassurez-vous.** Each chapter in the lab program begins with conversation. These conversations contain many familiar elements, but also some unfamiliar expressions that you are not expected to understand. Before you turn on the tape to listen each time, read the instructions for the activity, and focus on what you are asked to listen for. In other words, concentrate on what you can do, and don't be frustrated when you miss certain words or expressions.

A. Lisez les phrases ci-dessous, puis écoutez la séquence sonore une ou deux fois, en indiquant si ces phrases sont vraies (V) ou fausses (F).

V F

☐ ☐ 1. Quand il se présente, Yannick donne son nom, son âge et la ville d'où il vient.

☐ ☐ 2. Quand il parle de sa famille, il mentionne d'abord ses parents, puis ses frères.

☐ ☐ 3. Yannick a une belle-sœur et un neveu.

☐ ☐ 4. Les parents de Yannick sont divorcés.

☐ ☐ 5. Il habite avec sa mère.

☐ ☐ 6. Son père voyage beaucoup.

☐ ☐ 7. Yannick mentionne la profession de son père mais pas celle de sa mère.

☐ ☐ 8. Il mentionne l'âge de ses parents.

☐ ☐ 9. Ses grands-parents paternels sont divorcés.

☐ ☐ 10. Une de ses grand-mères est décédée.

B. Ecoutez deux autres fois et complétez l'arbre généalogique de Yannick en donnant le prénom et le nom de famille. Si un de ces noms n'est pas connu, mettez un X. Orthographe des prénoms: *Armande, Liliane, Marie, Joseph, Luc, Thierry*.

_____   _____   _____   _____

    (Père) _____   (Mère) _____

_____   <u>Yannick Charrière</u>   _____

C. Ecoutez une autre fois et donnez deux renseignements (autres que le nom et la relation par rapport aux autres membres de la famille) sur chacune des personnes suivantes. (Exemples: *âge, profession, lieu approximatif de résidence, état civil*, etc.)

1. Thierry

_____

_____

2. L'autre frère de Yannick

_____

_____

3. La mère de Yannick

_____

_____

4. Le père de Yannick

_____

_____

5. Un des grands-parents

(Nom de la personne choisie: _____)

_____

_____

A vous la parole

PHONETIQUE

Liaison

Note: The following phonetic explanation is not on the tape.

Liaison means linking. In this chapter, you are going to practice two cases where a liaison is always made: between subject pronoun and verb, and between verb and subject pronoun. In the first case, the linking letter, *s*, is pronounced /z/. In the second case, the possible linking letters are *t* and *d*, both pronounced /t/.

Note that for *-er* verbs beginning with a vowel sound, liaison makes it possible to distinguish the third-person singular and plural forms: **il arrive / ils arrivent; elle habite / elles habitent.** This distinction is not heard if the verb form begins with a consonant: **il parle** and **ils parlent** are pronounced the same.

Now turn on the tape.

A. Liaison: oui ou non? Prononcez les phrases suivantes. Si une liaison est nécessaire, faites-la oralement et indiquez la liaison (‿) entre les lettres en question. Puis, écoutez pour vérifier les liaisons que vous avez indiquées.

MODELES:　a.　Les étudiants viennent souvent au labo.

　　　　　　b.　Ils ouvrent leur cahier d'exercices tout de suite.

1. Vous connaissez des photographes professionnels?
2. L'équipement qu'ils ont est très compliqué.
3. Comment peuvent-ils le manipuler?
4. Mais leurs photos, elles sont toujours réussies!
5. Et vous? Prenez-vous beaucoup de photos?

B. Singulier ou pluriel? Ecoutez les phrases suivantes. Si vous entendez un verbe au singulier, répondez avec le pluriel correspondant. Si vous entendez un pluriel, répondez au singulier. S'il est impossible de savoir si le verbe est au singulier ou au pluriel, répétez simplement la forme «à double valeur».

MODELES:　a.　*Vous entendez:* Il arrive tôt.
　　　　　　　　Vous répondez: Ils arrivent tôt.

　　　　　　b.　*Vous entendez:* Elles entrent tard.
　　　　　　　　Vous répondez: Elle entre tard.

1. ...　　2. ...　　3. ...　　4. ...　　5. ...

PAROLES ET STRUCTURES

A. L'état civil. Un groupe de Français qui visitent votre ville se présentent. Ecoutez-les, puis devinez l'état civil de chacun.

MODELE:　*Vous entendez:* Je m'appelle Marie. Je suis légalement mariée mais je n'habite plus avec mon mari.
　　　　　　Vous répondez: Marie est séparée.

1. ...　　2. ...　　3. ...　　4. ...

B. **Photo de famille.** Regardez cette photo de famille, puis répondez aux questions. (Vous entendrez ensuite une des réponses possibles.)

1. ...   2. ...   3. ...   4. ...

C. **Un repas de famille.** Regardez cette «photo» de la famille Chartier. Plusieurs membres sont réunis pour fêter l'anniversaire du petit Benoît qui a huit ans aujourd'hui. Nommez chaque membre de la famille par rapport à Benoît. (Ensuite, répétez la réponse modèle.)

MODELE: (Bernard) → Bernard est son père.

1. ...   2. ...   3. ...   4. ...   5. ...

D. Vous êtes pessimiste! Votre cousin vous rend jaloux (-ouse). Vous allez expliquer pourquoi. Modifiez chacune des phrases suivantes en l'adaptant à votre cas et en utilisant la négation indiquée.

MODELE: (ne... pas toujours) →
Vous entendez: Michel fait toujours son lit.
Vous répondez: Moi, je ne fais pas toujours mon lit.

1. (ne... pas)
2. (ne... plus)
3. (ne... jamais)

4. (ne... pas encore)
5. (ne... jamais rien)

E. La famille de Brigitte. Brigitte est une jeune étudiante française à votre université. Avec un camarade, vous venez de rendre visite à sa famille en France. De retour à l'université, votre camarade décrit la famille de Brigitte, et ensuite, d'autres camarades vous posent des questions. Ecoutez vos camarades, puis répondez à leurs questions. Utilisez l'adverbe indiqué.

1. (toujours)
2. (souvent)
3. (rarement)

4. (très)
5. (heureusement)

F. Maintenant à vous! Maintenant, vous invitez Brigitte à passer le week-end chez vous. Pour préparer cette visite, répondez par écrit aux questions (répétées deux fois) que Brigitte vous pose sur votre famille.

1. _____

2. _____

3. _____

4. _____

G. En famille. Tous les membres de la famille sont ensemble dans la salle de séjour. Que font-ils? Vous allez entendre la même question deux fois. Répondez-y en utilisant les verbes suggérés. (Vous entendrez ensuite une des réponses possibles.) Verbes: *être, regarder, lire, dormir, se parler, avoir.*

1. ...   2. ...   3. ...   4. ...   5. ...

Dictée

Vous entendrez la dictée deux fois. La première fois, écoutez; la deuxième fois, écrivez. Ensuite, réécoutez le premier enregistrement pour corriger. A la fin, choisissez parmi les «photos» ci-dessous celle qui correspond à la description donnée dans la dictée. (La ponctuation vous sera donnée en français: point = *period;* virgule = *comma;* point-virgule = *semicolon.*)

_____

_____

_____

_____

_____

_____

1.

2.

3.

Quelle famille est-ce qu'on décrit? _____

EXERCICES ECRITS

Paroles

A. La vieille tante Germaine. Votre camarade Brigitte a une vieille tante qui habite aussi à Pau et avec qui vous n'avez pas beaucoup sympathisé. Utilisez les adverbes à droite pour compléter votre description—plutôt négative—de cette personne. Lisez le texte une première fois avant de le compléter avec les adverbes.

La tante Germaine a _____[1] l'air sévère. Elle ne

sourit jamais et _____,[2] elle fait la grimace sans

raison. _____[3] cette personne obstinée parle

_____.[4] C'est _____[5] parce

qu'elle se sent très seule.

malheureusement
parfois
toujours
peut-être
constamment

B. Vous n'avez pas de chance! Votre cousin est amateur de photographie et ses photos sont toujours supérieures aux vôtres. C'est pour cela que c'est lui, et non pas vous, le photographe officiel de votre famille. Complétez les phrases suivantes selon le modèle.

MODELE: Mes photos sont ratées; par contre, les photos de mon cousin _____ sont réussies .

1. Mes photos sont toujours floues ou trop sombres; par contre, les photos de mon cousin

   _____ .

2. Mes photos sont toujours en noir et blanc; par contre, mon cousin prend souvent _____

   _____ .

3. Mon cousin et moi, nous utilisons tous les deux un appareil-photo. Moi, je prends seulement des

   photos; lui, il prend souvent des photos mais parfois, il prend aussi _____ .

4. Quand on fait la grimace sur une de mes photos, c'est qu'on le fait exprès; par contre, quand on le

   fait sur une photo de mon cousin, c'est très souvent parce qu'on _____ .

5. Les membres de la famille ne gardent pas mes photos; par contre, ils mettent les photos de mon

   cousin dans _____

   ou dans _____ .

C. La famille Morier. Voici l'arbre généalogique de la famille Morier.

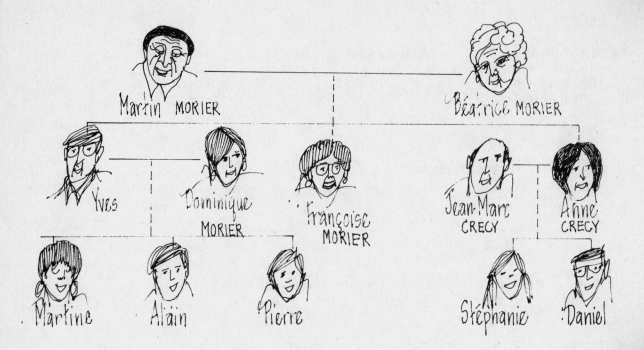

Décrivez cette famille en composant une série de phrases dans lesquelles vous utilisez chacune des expressions de parenté ou d'état civil suivantes. À vous d'établir l'ordre des phrases.

le mari	cinq petits-enfants
la fille	la grand-mère
le fils aîné	le même grand-père
pas de jumeaux	deux tantes
célibataire	mariées

_____

_____

_____

_____

_____

_____

_____

_____

_____

_____

D. Interview et compte-rendu. Choisissez un(e) camarade de classe à interviewer au sujet de sa famille. Vous voulez en savoir autant que possible sur sa famille, mais vous avez le droit de lui poser seulement cinq questions. Pour préparer l'interview, composez les questions à l'avance. (Essayez de découvrir quelque chose de singulier.)

1. _____

2. _____

3. _____

4. _____

5. _____

Maintenant, posez-les-lui, et après, écrivez un paragraphe où vous indiquez tout ce que vous savez de sa famille.

_____

_____

_____

_____

_____

_____

_____

_____

_____

_____

Structures

A. La famille Leblon. Employez les verbes de la liste suivante pour compléter ce texte où Jeannine Leblon nous décrit sa famille. Conjuguez les verbes à la forme correcte du présent de l'indicatif. Utilisez chaque verbe une seule fois.

Je _____¹ Jeannine Leblon et ma famille

_____² à Rouen. Notre maison

n'_____³ pas très grande mais elle

_____⁴ à nos besoins. Quand tous mes cousins

_____⁵ en visite (pour mon anniversaire, par

exemple), la maison _____⁶ très petite mais nous

_____⁷ quand même.

    Mes parents _____⁸ tous les deux dans un

laboratoire d'analyse chimique à Rouen. Mon père

_____⁹ tous les matins à huit heures (c'est l'heure

où moi, je _____!),¹⁰ mais ma mère ne

_____¹¹ pas partir si tôt.

    Heureusement, parce qu'elle _____¹² besoin

de s'occuper de mon petit frère. Patrick est difficile: il

n'_____¹³ presque jamais à personne. Lui et moi,

nous ne _____¹⁴ pas très bien.

    Par contre, j'_____¹⁵ mes sœurs jumelles,

Annick et Martine. Cette année, elles _____¹⁶

leurs études secondaires et l'été prochain, elles

_____¹⁷ à Londres faire un stage d'informatique.

Word bank (right margin):

s'appeler
correspondre
s'amuser
être
venir
habiter
sembler

partir
se réveiller
devoir
travailler

obéir
s'entendre
avoir

aller
finir
adorer

B. La vie en noir. Nous savons tous que «la vie en rose» est un mythe. Utilisez les éléments suivants pour décrire certains aspects négatifs de votre vie.

manger	arriver	jamais
sortir au cinéma	aimer	personne
s'amuser	pas toujours	rien d'intéressant
téléphoner	pas souvent	ne plus
		?

1. _____

2. _____

3. _____

4. _____

5. _____

6. _____

C. Le week-end. Composez un paragraphe où vous décrivez les activités de week-end de quelqu'un que vous connaissez bien. (Votre camarade de chambre? votre père? votre meilleure amie?) Utilisez les éléments suivants comme point de départ.

se lever	sortir	rarement	souvent
se reposer	regarder la télé	tard	parfois
faire les devoirs	faire du sport	toujours	peut-être

_____

_____

_____

_____

_____

_____

_____

_____

_____

D. La vie scolaire. Les étudiants sont souvent pressés. Comment votre vie a-t-elle changé depuis que vous êtes étudiant? Complétez les phrases suivantes.

1. Depuis le début de l'année scolaire, je ne _____

   _____

2. Malheureusement, je n'ai plus le temps de _____

   _____

3. Pendant le semestre, je _____

   _____

4. Je ne _____ pas encore _____ mais

   _____

5. Peut-être que _____

E. Un dimanche en famille. Votre cousin Pierre Leblon est obligé d'écrire une description de la «famille américaine typique» pour son cours de sociologie. Aidez-le. Décrivez un dimanche typique dans votre famille. Présentez surtout ce qui intéresserait un étudiant français.

_____

_____

_____

_____

_____

_____

_____

_____

_____

F. Le contraste en famille. Dans toutes les familles il y a des personnes qui ne se ressemblent pas du tout. Votre famille ne doit pas faire exception. Choisissez un parent (*relative*) à qui vous ne ressemblez pas, et composez un paragraphe où vous précisez les différences qui existent entre vous deux. Employez autant d'expressions négatives que possible.

_____

_____

_____

_____

_____

_____

_____

_____

_____

Chapitre 3

EXERCICES ORAUX

A l'écoute de la vie

AVANT D'ECOUTER

Etude de mots. Analysez les mots suivants, puis utilisez-les dans les phrases données.

l'endroit (*m.*) = la situation géographique
se rendre (à) = aller
les goûts (*m.*) = ce qu'on aime

un niveau = un étage
l'aménagement (*m.*) = l'arrangement intérieur
en bas âge = jeune

1. Est-ce que vous avez trouvé une maison à vos _____?

2. Où se trouve cette maison? A quel _____?

3. C'est idéal pour une famille avec plusieurs enfants _____.

4. Ils peuvent _____ à l'école à pied.

5. La maison a plusieurs _____.

6. Comme _____ dans la cuisine, il y a déjà un frigo et une cuisinière.

A L'ECOUTE

A. Lisez les phrases ci-dessous, puis écoutez la bande sonore une première fois en indiquant si ces phrases sont vraies (V) ou fausses (F).

V   F

☐   ☐   1. Le monsieur qui parle vient d'acheter une maison.

☐   ☐   2. Sa femme travaille et ne peut donc pas amener les enfants à l'école.

☐   ☐   3. Il y a trois enfants dans la famille.

☐   ☐   4. La famille voulait habiter tout près du centre ville à cause des enfants.

☐   ☐   5. La maison n'était pas trop chère.

☐   ☐   6. C'est une maison neuve, qui n'a jamais été habitée.

☐   ☐   7. Il n'y avait aucun appareil ménager dans la maison.

B. Ecoutez une deuxième fois, surtout le début de la séquence sonore, et complétez.

1. Selon ce monsieur, les deux facteurs principaux à considérer quand on achète une maison sont

   _____ et _____ .

2. Il faut aussi, bien sûr, que la maison corresponde aux _____ de l'acheteur.

C. Ecoutez encore, surtout la deuxième partie de la séquence sonore, et remplissez le tableau suivant, selon le modèle.

	Oui	Non	Nombre	Où? rez-de-chaussée	étage
MODELE: garage	X		1	X	
cuisine					
salle de bains					
salon					
bureau					
chambre					
buanderie (*laundry room*)					
cheminée					

A vous la parole

PHONETIQUE

Rising Intonation

Intonation refers to how a voice rises and falls in speech. French intonation differs in many ways from English intonation. In both languages, however, the intonation rises in questions that have yes or no for an answer, such as the following: **L'appartement est au premier étage? Est-ce que l'appartement est au premier étage? L'appartement est-il au premier étage?**

Turn on the tape to listen to the following pairs of sentences. The first utterance is a declarative sentence with falling intonation, and the second is a question with rising intonation. Remember that this difference in intonation allows you to distinguish a sentence from a yes/no question.

La table est de style rustique.
La table est de style rustique?

Martine a une cuisinière électrique.
Est-ce que Martine a une cuisinière électrique?

Vous mangez en regardant la télé.
Vous mangez en regardant la télé?

A. C'est vrai? Un de vos camarades de classe vient de rendre visite à Jérôme et Sylvie. Il vous décrit leur appartement et leur style de vie. Vous n'en croyez pas vos oreilles. Associez à chaque phrase une question avec intonation montante, selon le modèle.

MODELE: *Vous entendez:* Jérôme et Sylvie habitent dans un grand appartement.
Vous répondez: C'est vrai? Ils habitent dans un grand appartement?

1. ...   2. ...   3. ...   4. ...

B. Comment? Vous téléphonez à un agent immobilier à propos d'une maison que vous pensez peut-être acheter. L'agent vous décrit certains aspects de la maison, mais vous ne l'entendez pas très bien. Pour être sûr(e) de l'avoir compris, vous lui posez des questions en utilisant **est-ce que.** Faites attention à l'intonation.

MODELE: *Vous entendez:* La maison est grande.
Vous répondez: Est-ce que la maison est grande?

1. ...   2. ...   3. ...   4. ...   5. ...

C. A la résidence universitaire. Vous venez d'arriver à la résidence universitaire et votre camarade de chambre vous indique plusieurs appareils à votre disposition. Posez-lui des questions selon le modèle pour apprendre où ils se trouvent. (Ensuite, répétez la question modèle.)

MODELE: (au sous-sol)
Vous entendez: Il y a une machine à laver.
Vous répondez: Est-elle au sous-sol?

1. (au sous-sol aussi)   3. (dans le salon)
2. (au deuxième étage)   4. (au bout du couloir)

PAROLES ET STRUCTURES

A. Un week-end plein de choses! Un de vos camarades vous invite à passer le week-end dans le chalet de ses parents à la montagne. Il propose toutes sortes d'activités. Vous voulez être sûr(e) qu'il possède les choses nécessaires. Posez-lui des questions selon le modèle.

MODELE: *Vous entendez:* On peut écouter des disques et des cassettes.
Vous répondez: Tu as une chaîne-stéréo?
Vous entendez: Oui, j'en ai une.

1. ...   2. ...   3. ...   4. ...   5. ...

B. A la maison. Brigitte, la jeune Française qui est étudiante à votre université, arrive à la maison de vos parents pour y passer le week-end. Elle est impressionnée par toutes les machines qu'il y a. Après une visite rapide de toute la maison, elle vous pose des questions. Ecoutez deux fois ses questions et écrivez vos réponses.

1. _____

2. _____

3. _____

4. _____

5. _____

C. La chambre de Brigitte. Une des raisons de la surprise de Brigitte, c'est que sa chambre à la résidence universitaire est très modeste, avec un seul appareil ménager. Regardez le dessin de sa chambre, écoutez les questions (répétées deux fois), puis répondez-y. (Vous entendrez ensuite une des réponses possibles.)

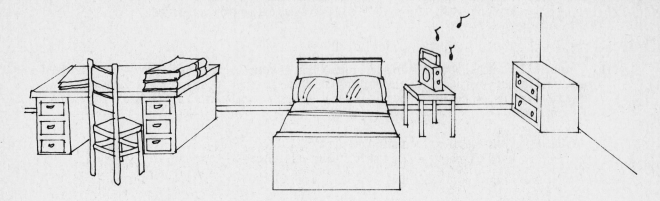

1. ...　2. ...　3. ...

D. Maintenant à vous! Est-ce que votre chambre ressemble à celle de Brigitte? Répondez aux questions (répétées deux fois) sur votre chambre.

1. ...　2. ...　3. ...　4. ...

E. Vous n'en pouvez plus! Votre cousin vous agace parce qu'il ne fait jamais rien et qu'il oublie de faire des choses importantes. Rappelez-le-lui selon le modèle.

MODELE:　*Vous entendez:* Il ne remet jamais vos disques dans leur pochette.
　　　　　　Vous répondez: Remets mes disques dans leur pochette!

1. ...　2. ...　3. ...　4. ...　5. ...

F. Les Hespérides Masséna. Voici une publicité pour des appartements neufs à Nice. Arrêtez la cassette pour la lire, puis remetttez la cassette et répondez aux questions (répétées deux fois).

Bien servi,
Vivez l'Espace
...au cœur de Nice

Ouverture
Juillet 1988

Vue depuis le cercle.

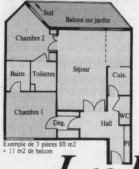

Sud
Balcon sur jardin
Chambre 2
Bains | Toilettes | Séjour | Cuis.
Chambre 1
Dég. | Hall | WC
Exemple de 3 pièces 80 m2
+ 11 m2 de balcon
RSCG
Pl

Des Appartements Espace

Aux Hespérides Masséna, vivez l'espace dans un grand 2 pièces ou 3 pièces. Beaucoup s'ouvrent sur le jardin, espace privilégié au cœur de Nice. Et à 50 m face au vieux Nice si pittoresque les superbes jardins de l'espace Masséna : Un espace de verdure jusqu'à la Mer. Un emplacement exceptionnel.

Un Espace de Services

Restauration, accueil, paramédical, ménager, petit dépannage, dispositif de protections multiples et de surveillance 24 h sur 24 h. Un Cercle chaleureux.

Résidence-Services
Les Hespérides Masséna
Bureau de vente sur place
4, rue Alberti, Nice
Tél. 93.62.26.35
A Paris : 1.42.66.36.36

COGEDIM
HESPERIDES

1. ...   2. ...   3. ...   4. ...

Dictée

Vous entendrez la dictée deux fois. La première fois, écoutez. La deuxième fois, écrivez. Ensuite, réécoutez le premier enregistrement pour corriger. A la fin, formez deux questions que vous aimeriez poser pour en savoir plus sur le logement décrit.

_____

_____

_____
_____
_____
_____
_____
_____
_____
_____

Deux questions:

1. _____

2. _____

EXERCICES ECRITS

Paroles

A. Les choses de la vie. On peut trouver toutes sortes de choses dans une maison. Complétez les phrases suivantes en indiquant deux ou trois choses qu'on peut trouver aux endroits indiqués.

MODELE: Dans la salle à manger, <u>on peut trouver une table, des chaises et un tableau.</u>

1. Dans la cuisine, _____

_____

2. Dans une chambre, _____

_____

3. Dans un salon, _____

_____

4. Au sous-sol, _____

_____

5. Au grenier, _____

_____

B. La maison à tout faire! Dans une maison, on peut aussi faire toutes sortes de choses. Composez une phrase qui décrit une ou deux activités qu'on fait dans chacune des pièces suivantes.

MODELE: (la salle de bains) → <u>Dans la salle de bains, on se brosse les dents et on prend une douche.</u>

1. (le salon) _____

_____

2. (la salle à manger) _____

_____

3. (la cuisine) _____

_____

4. (la chambre) _____

_____

5. (le bureau) _____

_____

C. **Qui achète quoi?** Dans notre société de consommation, les gens adorent acheter. Composez des phrases où vous décrivez le type de personne qui achète les choses suivantes. Faites preuve d'imagination.

MODELE: (les disques) → Une personne qui aime la musique achète des disques.

1. (un tableau impressionniste) _____

_____

2. (une caravane) _____

_____

3. (un ordinateur) _____

_____

4. (un magnétoscope) _____

_____

5. (des cassettes) _____

_____

6. (une voiture de sport) _____

_____

D. On emménage! Voici le plan de la maison où vous allez passer cette année. Ci-dessous, il y a une liste de tous les meubles et appareils que vous voulez y mettre. Ecrivez un petit guide pour les déménageurs (*movers*) en leur expliquant dans quelle pièce il faut mettre les diverses choses.

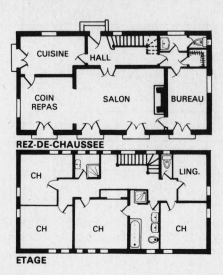

1. un canapé moderne
2. trois tables de nuit
3. une cuisinière à gaz
4. deux commodes
5. un sèche-linge
6. une table et six chaises
7. deux fauteuils Louis XVI
8. un tapis oriental
9. une armoire
10. un bureau et sa chaise
11. un réfrigérateur
12. ?

_____

_____

_____

_____

_____

_____

_____

_____

_____

E. Les choses de votre vie. Ecrivez un paragraphe où vous précisez les choses les plus précieuses que vous possédez. Indiquez où se trouvent ces objets, depuis quand vous les avez et pourquoi ils sont si importants pour vous. Y a-t-il d'autres objets que vous aimeriez ajouter à votre collection?

_____

_____

_____

_____

_____

_____

_____

_____

_____

_____

Structures

A. **La famille Leblon n'est pas comme nous!** Après votre visite chez les Leblon, vous expliquez à vos parents toutes les différences que vous avez remarquées entre les deux familles. A partir de chaque indice, composez une phrase.

MODELE: (acheter beaucoup de motocyclettes) →
La famille Leblon achète beaucoup de motocyclettes mais nous n'achetons pas beaucoup de motocyclettes.

1. (se lever à 10h tous les jours) _____

_____

2. (posséder deux résidences secondaires) _____

_____

3. (essayer de ne manger que des légumes) _____

_____

4. (envoyer des cartes de voeux pour le Nouvel An) _____

_____

_____

5. (préférer dîner à minuit) _____

_____

6. (manger toujours sur la terrasse en hiver) _____

_____

7. (jeter leur linge sale dans le jardin des voisins) _____

_____

_____

B. On met la charrue devant les bœufs! (Proverbe.) En répondant à vos questions, Jérôme et Sylvie nous décrivent le style de vie des gens qu'ils ont déjà interviewés. A vous de formuler ces questions. Utilisez un adverbe ou un adjectif interrogatif aussi bien que **est-ce que** dans chaque question.

MODELE: *Réponse:* On lit *un livre par mois.*
Question: Combien de livres est-ce que les gens lisent par mois?

1. On aime dîner *dans la salle à manger.*

   _____

2. On préfère la purée *toute faite.*

   _____

3. Beaucoup de gens préfèrent la purée toute faite *parce qu'elle est si facile à faire.*

   _____

4. Certains n'aiment pas le fromage *en tube.*

   _____

5. Tout le monde pense que le lave-vaisselle lave *assez mal* les ustensiles.

   _____

6. Les privilégiés utilisent *toujours* un lave-vaisselle.

   _____

C. Comment? Quelle était la question? Récrivez les six questions de l'exercice B, mais cette fois, utilisez l'inversion à la place de **est-ce que.**

1. _____
2. _____
3. _____
4. _____
5. _____
6. _____

D. L'interview des enquêteurs. Cette fois vous interviewez Jérôme et Sylvie à propos de leur métier. Leurs réponses se trouvent ci-dessous. Posez une question convenable en utilisant les éléments donnés.

1. depuis / faire ce travail

   _____ ?

   —Ça fait plus de quatre ans.

2. préférer / interroger / gens / dans la rue / chez eux

_____ ?

—Eh bien, ça dépend de la nature des questions.

3. quel / questions / agacer / gens

_____ ?

—Les questions personnelles.

4. pourquoi / passer / votre temps / interroger les gens

_____ ?

—Parce que nous étudions la société de consommation.

E. **Jérôme et Sylvie font un sondage.** Les deux enquêteurs vous demandent de les aider à dresser une liste de questions pour leur prochain sondage. Ils veulent découvrir (1) quels appareils ménagers et électroniques les gens possèdent, (2) ceux qu'ils veulent acheter et (3) les appareils et d'autres objets pour la maison que les gens estiment inutiles. Formulez cinq questions que Jérôme et Sylvie peuvent utiliser.

1. _____

_____

2. _____

_____

3. _____

_____

4. _____

_____

5. _____

_____

F. **A vous de participer au sondage!** Maintenant, aidez Jérôme et Sylvie une autre fois en participant au sondage. Répondez personnellement aux questions que vous avez formulées dans l'exercice D. Composez un paragraphe dans lequel vous leur donnez tous les renseignements demandés.

_____

_____

_____

_____

_____

Thème II

Chapitre 4

EXERCICES ORAUX

A l'écoute de la vie

AVANT D'ECOUTER

1. Qu'est-ce que vous aimiez faire quand vous étiez petit(e)? Donnez deux activités.

   _____

   _____

2. Et plus tard, quand vous étiez au lycée, qu'est-ce que vous aimiez faire quand vous sortiez avec vos copains et copines?

   _____

   _____

3. Quel genre de livres est-ce que vous aimiez lire?

   _____

   _____

4. Quel genre d'enfant étiez-vous?

   _____

A L'ECOUTE

A. Ecoutez une première fois pour voir si vous avez des caractéristiques en commun avec Gwenaëlle, la jeune Française interviewée. Quelles sont ces caractéristiques?

   _____

   _____

B. Ecoutez deux ou trois autres fois et complétez.

   1. Quand elle était petite, Gwenaëlle jouait...

AVEC QUI?	OÙ?	A QUOI?	QUAND?
_____	_____	_____	_____
_____	_____	_____	_____

2. Nommez deux activités que Gwenaëlle faisait avec ses copines quand elle était au lycée.

_____

_____

3. Gwenaëlle et la lecture

   a. Quel genre de livres Gwenaëlle aimait-elle quand elle était petite?

   _____

   b. Et plus tard? Donnez deux auteurs que vous reconnaissez.

   _____

   _____

4. L'enfant Gwenaëlle

   Donnez deux adjectifs qui décrivent Gwenaëlle quand elle était petite.

   _____   _____

C. Ecoutez une dernière fois et indiquez si ces phrases sont vraies (V) ou fausses (F).

   V   F

   ☐   ☐   1. Quand elle était jeune, Gwenaëlle écrivait des histoires d'aventures.

   ☐   ☐   2. Quand Gwenaëlle sortait avec ses copines, elle allait les chercher chez elles.

   ☐   ☐   3. Sa mère lui achetait un livre toutes les semaines.

   ☐   ☐   4. Gwenaëlle n'a jamais été obligée de rester dans sa chambre comme forme de punition.

A vous la parole

PHONETIQUE

The Present and the Imperfect

The present tense endings of -er, -ir, and -re verbs are pronounced differently, but the imperfect endings of all groups of verbs are pronounced the same. The following chart with examples summarizes these pronunciations:

je _____ais [ɛ]	je parlais
tu _____ais [ɛ]	tu finissais
il/elle _____ait [ɛ]	elle répondait
nous _____ions [jõ]	nous arrivions
vous _____iez [je]	vous choisissiez
ils/elles _____aient [ɛ]	ils descendaient

Notice that the four endings in boldface (**je, tu, il/elle, ils/elles**) are pronounced the same and that the sound /j/ distinguishes the imperfect from the present for the **nous** and **vous** forms of almost all verbs.

Compare: present = **nous parlons** [parlõ]; imperfect = **nous parlions** [parljõ].
    Now turn on the tape.

A. Du présent à l'imparfait. Vous allez entendre des verbes au présent. Répétez le présent, puis donnez la forme correspondante de l'imparfait.

MODELE: *Vous entendez:* je parle
            Vous répondez: je parle, je parlais

1. ...   2. ...   3. ...   4. ...   5. ...   6. ...   7. ...

B. Présent ou imparfait? Cette fois vous allez entendre des verbes au présent ou à l'imparfait. Si vous entendez un verbe au présent, donnez l'imparfait. Si le verbe est à l'imparfait, donnez le présent.

MODELES: a.   *Vous entendez:* il finit
                  Vous répondez: il finissait

            b.   *Vous entendez:* nous allions
                  Vous répondez: nous allons

1. ...   2. ...   3. ...   4. ...   5. ...   6. ...   7. ...   8. ...

C. Autres temps, autres mœurs. (Proverbe.) Alain Morier va décrire certains aspects de sa vie quotidienne. Vous allez lui poser des questions au sujet de celle de ses grands-parents. (Ensuite, répétez la question modèle.)

MODELE: *Vous entendez:* Je ne me lève jamais avant 7h30.
            Vous demandez: Et tes grands-parents? Est-ce qu'ils ne se levaient jamais avant 7h30?

1. ...   2. ...   3. ...   4. ...

PAROLES ET STRUCTURES

A. L'histoire sportive de la famille Morier. Vous souvenez-vous de la famille Morier? Voici, à la page suivante, des «photos» extraites d'un de leurs albums de famille. A l'époque, Martin et Béatrice Morier avaient à peu près trente ans et leurs enfants étaient petits. Décrivez les activités sportives des membres de la famille à cette époque. (Ensuite, répétez la réponse modèle.)

MODELE:
Martin

Vous entendez: Martin
Vous répondez: Autrefois, Martin faisait du vélo.

1. Béatrice   2. Yves   3. Françoise

4. Anne   5. Martin

B. Tel père, tel fils? Pas du tout! Jean-Marc Crécy et son fils Daniel font exception à la règle. Ecoutez les phrases au sujet du comportement de Daniel et répondez par des phrases au sujet de son père.

MODELE: *Vous entendez:* Daniel est un garçon mal élevé.
                Vous répondez: Mais son père était bien élevé.

1. ...   2. ...   3. ...   4. ...   5. ...

C. Maintenant à vous! Quelle sorte d'enfant étiez-vous? Et quelles étaient vos activités préférées quand vous étiez à l'école primaire? Ecoutez les questions (répétées deux fois) et écrivez votre réponse.

1. _____

2. _____

3. _____

4. _____

5. _____

D. L'âge fait la différence! Vous venez de revoir des camarades de classe que vous n'aviez pas vus depuis dix ans. Ils ont tous beaucoup changé. Indiquez les changements que vous remarquez en faisant allusion au passé. Utilisez une tournure négative dans chaque réponse. (Ensuite, répétez la réponse modèle.)

MODELE: *Vous entendez:* Aujourd'hui, Marie aime les sports.
                Vous répondez: Mais quand elle était jeune, Marie n'aimait pas du tout les sports.

1. ...   2. ...   3. ...   4. ...

E. Copain, copine! Choisissez un de vos copains (une de vos copines) d'école secondaire. Répondez aux questions suivantes à propos de son présent et de son passé. Faites bien attention au temps du verbe de la question et utilisez-le dans votre réponse.

1. ...   2. ...   3. ...   4. ...

F. Dis-moi, Papy! Imaginez que votre petite sœur Stéphanie pose des questions à votre grand-père sur sa jeunesse. A vous de jouer le rôle du grand-père et de répondre aux questions de la petite-fille. (Vous entendrez ensuite une des réponses possibles.)

1. ...   2. ...   3. ...   4. ...

G. Et vos parents? Essayez d'imaginer l'époque où vos parents venaient de faire connaissance. D'après ce que vous savez, répondez par écrit à ces questions.

1. _____

2. _____

3. _____

4. _____

Dictée

Vous entendrez la dictée deux fois. La première fois, écoutez. (Notez que la dernière phrase n'est pas complète; ce sera à vous de la compléter.) La deuxième fois, écrivez. Ensuite, réécoutez le premier enregistrement pour corriger. A la fin, terminez la dernière phrase de façon personnelle.

_____

_____

_____

_____

_____

_____

_____

_____

_____

EXERCICES ECRITS

Paroles

A. Les sœurs Duclerc. Le texte suivant indique les différences qui existaient entre deux jeunes sœurs, Antoinette et Claude Duclerc. Complétez le texte en utilisant un adjectif (à mettre au féminin) ou un verbe (à conjuguer à l'imparfait) de la liste de droite.

Antoinette était une jeune fille bien élevée et polie alors que sa

sœur Claude était _____¹ et

_____.² Les autres membres de la famille

appréciaient Antoinette parce qu'elle était _____;³

par contre, Claude n'obéissait jamais à personne: elle était très

_____.⁴ De plus, Claude ne montrait jamais

d'affection tandis qu'Antoinette était toujours

_____.⁵

Souvent, les deux sœurs se disputaient et même parfois elles

_____.⁶ Le plus souvent, quand les parents les

_____,⁷ Antoinette pleurait et puis elle

_____.⁸ Mais pas Claude. Et donc, les parents la

_____⁹ fréquemment.

Tout le monde était étonné des différences entre les deux jeunes

sœurs. Bref, Claude était aussi _____¹⁰

qu'Antoinette était _____.¹¹

sage
se battre
mal élevé
obéissant
affectueux
demander pardon
punir
malpoli
désobéissant
méchant
gronder

B. **Et vous?** Complétez les phrases suivantes en décrivant la personne que vous étiez à dix ans. Utilisez le vocabulaire du chapitre.

1. En ce qui concerne mon comportement, j'étais un(e) enfant _____

_____

_____

2. Je me disputais _____

_____

3. Mes parents me grondaient quand _____

_____

4. Ils me punissaient chaque fois que _____

_____

5. Je pleurais si _____

_____

6. Comparé(e) à la plupart de mes copains (copines), je _____

_____

_____

C. La fièvre du samedi soir! Vous et vos camarades de classe organisez une boum pour samedi. Vous discutez des activités possibles et proposez celles qui vous intéressent le plus. Consultez la liste d'activités et de loisirs dans **Paroles** de votre livre; choisissez-en cinq et suggérez-les à vos camarades en utilisant la structure suivante: *regarder la télé* → Si nous regardions la télé?

1. _____

2. _____

3. _____

4. _____

5. _____

D. Etes-vous sportif (-ives)? Quel(s) sport(s) faites-vous maintenant? Et quand vous aviez quinze ans? Ecrivez un paragraphe où vous mettez en contraste vos activités sportives actuelles et passées. Utilisez des verbes au présent et à l'imparfait.

_____

_____

_____

_____

_____

_____

_____

_____

_____

_____

E. Panorama chronologique de vos activités et loisirs. Choisissez trois époques distinctes de votre vie, y compris le présent. Sur une feuille de papier, écrivez trois petits paragraphes où vous décrivez vos activités et loisirs préférés (autres que les sports).

MODELE: Quand j'avais huit ans, j'aimais...
Par contre, à l'âge de quinze ans, je préférais...
A présent, je...

Structures

A. Tel père, tel fils. Alain Morier fait partie de la «kid génération» mais pas son père. L'enfance du père n'était cependant pas très différente de celle de son fils. Mettez le paragraphe suivant au passé en supposant que c'est le père qui parle. Mettez tous les verbes à l'imparfait. Barrez (*Cross out*) les verbes au présent.

J'ai _____[1] quatorze ans. Je suis _____[2] jeune mais j'essaie

_____[3] d'être indépendant. Mes parents disent _____[4] que je

suis _____[5] mûr pour mon âge. Ils avouent _____[6] même que

je commence _____[7] à être raisonnable. Cela me fait _____[8]

peur!

Mes copains et moi, nous adorons _____[9] les sports. En hiver, nous faisons

_____[10] du ski et en été, quand nous sommes _____[11] en

vacances, nous faisons _____[12] du bateau et parfois de la natation.

L'école m'ennuie _____.[13] J'étudie _____[14] le moins

possible. Mais je m'amuse _____[15] beaucoup le week-end. Avec les copains, on va

_____[16] au cinéma et souvent, quelqu'un organise _____[17]

une boum. Ça, c'est _____[18] toujours très chouette parce que nous écoutons

_____[19] des disques et nous dansons _____[20] très tard.

B. Je me souviens! Pensez à votre enfance et alors vous vous souviendrez des moments de plaisir et d'ennui. Avec le verbe indiqué, composez des phrases à l'imparfait qui font appel à vos souvenirs d'enfance. Vous pouvez parler des autres membres de votre famille et de vos copains.

MODELE: (aimer) → Ma sœur aimait les vacances parce qu'elle n'aimait pas du tout les devoirs.

1. (adorer) _____

   _____

2. (penser) _____

   _____

3. (être) _____

   _____

4. (préférer) _____

   _____

5. (vouloir) _____

_____

6. (savoir) _____

_____

7. (détester) _____

_____

8. (avoir) _____

_____

9. (pouvoir) _____

_____

10. (espérer) _____

_____

C. **Le conflit des générations: oui ou non?** Les psychosociologues parlent des différences qui séparent les jeunes (neuf à treize ans) de leurs parents. Peut-être exagèrent-ils un peu? Pour vous aider à répondre à cette question, composez un petit essai à l'imparfait où vous décrivez la vie de vos parents (ce qu'ils vous en ont dit!) quand ils avaient votre âge. Adverbes utiles: *d'habitude, parfois, jamais, souvent, toujours, le dimanche, rarement, le soir*.

_____

_____

_____

_____

_____

_____

_____

_____

_____

_____

D. La «kid génération» (suite). Voici des phrases tirées de l'article sur la «kid génération». Faites un commentaire en comparant, *par des exemples,* la «kid génération» et votre propre jeunesse. (Référez-vous à la lecture, **Chapitre 14.**)

1. Les 9 à 13 ans ont leurs passions, leurs idoles...

   Nous aussi...,

   _____

   _____

2. Ils lancent les modes, les stars...

   _____

   _____

   _____

3. Ils jugent, aiment ou détestent.

   _____

   _____

   _____

4. Mais ces enfants sont aussi très en prise avec la réalité.

   _____

   _____

   _____

5. Ils sont durs et tendres.

   _____

   _____

   _____

6. Leurs objectifs, aujourd'hui, sont plus restreints et plus lucides.

   _____

   _____

   _____

E. Une publicité pour la «kid génération». Imaginez que vous devez écrire une réclame pour cette bicyclette pour un magazine de jeunes. Composez le texte de votre espace publicitaire en soulignant les différences entre cette bicyclette «jeune» et celle, plutôt vieux jeu, des générations passées. Mettez les verbes au présent ou à l'imparfait selon le cas.

_____

_____

_____

_____

_____

_____

_____

_____

_____

_____

_____

Chapitre 5

EXERCICES ORAUX

A l'écoute de la vie

AVANT D'ECOUTER

Quand vous étiez à l'école primaire, quel était votre emploi du temps? Indiquez les heures ou répondez selon les indications.

MODELE: Lever _____ 7h _____

1. Lever _____

2. Arrivée à l'école _____

3. Départ de l'école _____

4. Repas de midi: entre _____ et _____; Où? (à la cantine?

   à la maison?) _____

5. Récréations (combien?) _____

6. Activités favorites aux récréations _____

7. Matières préférées à l'école _____

A L'ECOUTE

A. Vous allez entendre une conversation avec Samuel, un élève au collège. Ecoutez une première fois et organisez les sujets suivants selon l'ordre de présentation dans la conversation. Numérotez de 1 à 8.

_____ commentaires sur l'école maternelle

_____ âge actuel de Samuel

_____ âge d'entrée à l'école primaire

_____ classe actuelle de Samuel

_____ matières préférées de Samuel

_____ nom des différentes classes à l'école primaire

_____ activités pendant les récréations

_____ emploi du temps d'une journée à l'école primaire

B. Ecoutez une deuxième fois en vous concentrant sur le nom des classes. En vous aidant des termes donnés, identifiez le nom des différentes classes et organisez-les par ordre chronologique. Termes: *cours, année, moyen, élémentaire.*

	ABREVIATION	NOM COMPLET
1.	_____	_____
2.	_____	_____
3.	_____	_____
4.	_____	_____
5.	_____	_____

C. Ecoutez une troisième fois et complétez.

1. L'âge

   a. Age d'entrée à l'école maternelle: _____ ou _____

   b. Age d'entrée à l'école primaire: _____

   c. Age actuel de Samuel: _____

2. L'heure

   a. Heure à laquelle Samuel se lève: _____

   b. Heure à laquelle l'école commence: _____

   c. Heure à laquelle les classes du matin finissent: _____

   d. Heure à laquelle l'école recommence l'après-midi: _____

   e. Heure à laquelle l'école finit: _____

3. Les activités

   a. Activités principales à l'école maternelle: _____

   b. Activités favorites de Samuel aux récréations: _____

4. Matières préférées de Samuel: _____

5. Pourquoi Samuel aimait-il la première matière mentionnée? Cochez toutes les réponses appropriées.

   ☐ L'institutrice était amusante.

   ☐ Les autres élèves étaient bons.

   ☐ Les autres élèves étaient nuls.

   ☐ Samuel était le meilleur.

D. Ecoutez une quatrième fois et notez deux choses qui vous frappent comme des différences culturelles entre la France et les Etats-Unis.

_____

_____

A vous la parole

PHONETIQUE

Diphthongs

A diphthong (*une diphtongue*) is a complex vowel sound that runs two different vowel sounds together. The vowels in *toy* and *say,* like most vowel sounds in English, are diphthongs. Most French vowel sounds, however, are pure; they consist of one single sound.

Since verbs conjugated in the **passé composé** usually end with a vowel sound, this verb tense gives you the opportunity to try to eliminate diphthongs from your speech. Keep the muscles in your mouth tense as you make the final vowel sound. The shorter you make a vowel sound, the easier it is to avoid diphthongizing it.

Now turn on the tape.

Avant de commencer, écoutez ce contraste:

en anglais: *pay;* en français, **paix.**
Encore une fois: *pay* ≠ **paix.**

A. Du présent au passé composé. Ecoutez cette série de verbes conjugués au présent, et répondez en substituant le passé composé. Essayez d'éviter la diphtongaison. (Ensuite, répétez la réponse modèle.)

MODELE: *Vous entendez:* je parle
Vous répondez: j'ai parlé

1. ...   2. ...   3. ...   4. ...   5. ...   6. ...   7. ...

B. Présent ou passé composé? Cette fois vous allez entendre des verbes au présent ou au passé composé. Si vous entendez le présent, donnez le passé composé. Si vous entendez le passé composé, donnez le présent. Surtout essayez d'éviter les diphtongues.

MODELES: a.   *Vous entendez:* je parle
Vous répondez: j'ai parlé

b.   *Vous entendez:* nous avons fini
Vous répondez: nous finissons

1. ...   2. ...   3. ...   4. ...   5. ...   6. ...

C. Vous avez fait les mêmes choses que Monique! Ecoutez ces phrases qui décrivent la journée de Monique, puis répondez en indiquant que vous avez fait la même chose.

MODELE: *Vous entendez:* Monique s'est levée à sept heures.
Vous répondez: Moi aussi, je me suis levé(e) à sept heures.

1. ...   2. ...   3. ...   4. (moi non plus)

PAROLES ET STRUCTURES

A. Quel âge? Quelle école? En France, comme aux Etats-Unis, c'est l'âge de la personne qui détermine l'école à laquelle elle se rend. Sachant cela, indiquez où les jeunes suivants font leurs études. Réponses possibles: *à l'école maternelle, à l'école primaire, à l'université, au collège, au lycée.*

MODELE: *Vous entendez:* Mireille a sept ans.
Vous répondez: Mireille va à l'école primaire.

1. ... 2. ... 3. ... 4. ... 5. ...

B. Au boulot. Regardez ces dessins de trois scènes scolaires, puis répondez aux questions. (Vous entendrez ensuite une des réponses possibles.)

1. 2. 3.

1. ... 2. ... 3. ... 4. ... 5. ...

C. Maintenant à vous! Voici des questions (répétées deux fois) au sujet de votre vie scolaire. Donnez votre réponse. (Vous entendrez ensuite une des réponses possibles.)

1. ... 2. ... 3. ...

D. Rien ne change: C'est la même routine tous les jours. Luc est lycéen et sa vie est monotone, comme celle du renard dans *Le Petit Prince.* Il fait la même chose tous les jours. Luc va vous dire (deux fois) ce qu'il fait aujourd'hui. Demandez-lui s'il a fait la même chose hier.

MODELE: *Vous entendez:* Je prends mon petit déjeuner à 5h30 aujourd'hui.
Vous répondez: Vous avez pris votre petit déjeuner à 5h30 hier aussi?

1. ... 2. ... 3. ... 4. ...

E. Vous êtes une grande personne, vous aussi! Puisque vous êtes une grande personne, vous devez avoir tous les défauts des autres grandes personnes. Ecoutez la description de certains défauts (répétée deux fois), puis accusez-vous à votre tour.

MODELE: *Vous entendez:* Les grandes personnes ne comprennent jamais les dessins.
Vous répondez: Moi non plus, je n'ai jamais compris les dessins.

1. ... 2. ... 3. ... 4. ...

F. L'école buissonnière. Regardez les dessins, puis composez une phrase pour décrire comment chaque élève a passé sa journée d'école buissonnière. (Ensuite, répétez la réponse modèle.)

MODELE:

Stéphanie

Vous entendez: Stéphanie
Vous répondez: Stéphanie a écouté des disques.

1. Christian

2. Sophie

3. Alain

4. Marie / Nicole

5. Michel

6. Le petit prince

Dictée

Vous entendrez la dictée deux fois. La première fois, écoutez. La deuxième fois, écrivez. Ensuite, réécoutez le premier enregistrement pour corriger.

_____

_____

_____

_____

_____

_____

_____

_____

_____

_____

EXERCICES ECRITS

Paroles

A. **Tout un programme.** La liste de gauche est une liste de cours; la liste de droite est une liste de sujets d'étude. Attribuez chaque sujet d'étude au cours où il a le plus de chances de figurer au programme.

COURS

_____ la géographie

_____ la physique

_____ la philosophie

_____ les sciences économiques

_____ l'histoire

_____ la psychologie

_____ la géométrie

_____ la musique

_____ la zoologie

_____ la littérature

_____ les sciences politiques

_____ l'histoire de l'art

SUJETS

a. le théorème de Pythagore

b. l'acoustique

c. les serpents

d. Shakespeare

e. la Révolution française

f. l'impressionnisme

g. les fleuves de l'Europe

h. l'existentialisme

i. les chiens de Pavlov

j. la monarchie parlementaire

k. l'inflation

l. Berlioz

B. **Le cartable de Pierrot.** Pierrot vient d'arriver à l'école et il est en train de vider (*empty*) son cartable. Malheureusement il a oublié beaucoup de choses. Composez huit phrases: quatre phrases où vous mentionnez les articles qu'il a oubliés et quatre autres phrases où vous mentionnez les articles qu'il a mis dans son cartable. Référez-vous au dessin.

1. Ce matin, Pierrot n'a pas oublié _____

2. _____

3. _____

4. _____

5. Malheureusement, Pierrot a oublié _____ aujourd'hui.

6. _____

7. _____

8. _____

C. Et vos souvenirs d'école primaire? Utilisez les expressions suivantes conjuguées au passé composé pour écrire un paragraphe qui résume des moments mémorables de votre vie d'écolier (d'écolière).

avoir hâte de   mériter une punition
faire une bêtise   faire l'école buissonnière
jouer un tour à   passer mon temps à...
réussir à ≠ échouer à un examen

_____

_____

_____

_____

_____

_____

_____

_____

_____

_____

D. Votre sac à dos ou votre serviette. Souvent aux Etats-Unis les étudiants se servent d'un sac à dos ou d'une serviette; vous ne devez pas faire exception à la règle. Choisissez un jour précis (aujourd'hui, lundi dernier,...) et écrivez un paragraphe au passé composé où vous indiquez tous les articles que vous avez mis dans votre sac ou votre serviette et pourquoi.

MODELE: J'y ai mis des crayons de couleur pour mon cours de dessin.

_____

_____

_____

_____

_____

_____

_____

_____

_____

_____

Structures

A. Etre ou avoir? A l'école primaire, Pierre Morier fait de la grammaire française. Il a beaucoup de mal à se rappeler les verbes qui sont conjugués avec **être** au passé composé, sans parler de tous les participes irréguliers! Voici un exercice extrait de son manuel de grammaire. (Pierre a fait douze erreurs! Et vous?) Mettez les verbes suivants au passé composé.

1. nous répondons _____

2. Jean et Marc finissent _____

3. j'entre _____

4. elle se lève _____

5. vous comprenez _____

6. tu ouvres _____

7. Claude dit _____

8. elles font _____

9. je suis _____

10. tu as _____

11. nous mettons _____

12. vous buvez _____

13. ils s'écrivent _____

14. elle connaît _____

15. elles viennent _____

16. nous courons _____

17. Nathalie arrive _____

18. je vais _____

19. Nicolas descend _____

20. vous sortez _____

B. Il ne faut pas remettre à demain ce qu'on peut faire le jour même! Hier vous n'avez pas fait tout ce que vous avez promis de faire. Répondez honnêtement aux questions de deux camarades, de deux professeurs et de votre mère. S'il le faut, donnez-leur aussi une bonne excuse.

1. As-tu écouté le compact-disc que je t'ai passé?

   _____

   _____

2. As-tu acheté des piles (*batteries*) pour la calculatrice que je t'ai prêtée?

   _____

   _____

3. Avez-vous établi une bibliographie pour votre travail écrit?

   _____

4. Avez-vous terminé le devoir pour aujourd'hui?

   _____

   _____

5. As-tu enfin nettoyé ta chambre?

   _____

   _____

C. Et pourtant, hier n'a pas été une journée perdue! Par contraste avec toutes les questions agaçantes de l'exercice précédent, écrivez un petit paragraphe plus positif où vous indiquez les projets réalisés qui ont marqué votre journée d'hier.

_____

_____

_____

_____

_____

_____

_____

_____

D. Une lettre sans toutes ses lettres! Voici une lettre que vous venez de recevoir. Vraisemblablement votre correspondante Gisèle ne comprend pas très bien le passé composé, et donc elle a laissé beaucoup de blancs. A vous de les remplir, mais seulement s'il le faut.

Rouen, le 14 octobre

Cher (Chère) _____ (*votre nom*),

J'ai reçu _____[1] hier les cassettes que tu m'_____[2] envoyé

_____[3] et je les adore! Hier soir beaucoup de mes copains _____[4] venu

_____[5] chez moi et nous _____[6] écouté _____[7] tes cassettes et des

disques que j'ai acheté _____[8] à Paris le mois dernier.

Nous _____[9] sorti _____[10] la voiture du garage et nous

l'_____[11] transformé _____[12] en une énorme salle de fête où nous

_____[13] dansé _____[14] jusqu'à minuit passé. Tout le monde

s'_____[15] amusé _____[16] et personne n'_____[17] parti

_____[18] avant une heure du matin. Nous nous _____[19] longuement parlé

_____[20] de toutes sortes de choses, et Nicolas et Alexandre _____[21] raconté

_____[22] des souvenirs de leur séjour en Russie. Nous _____[23] passé

_____[24] une soirée super-chouette. Il ne manquait que toi!

Bises,

Gisèle

E. Et vous? Ecrivez-vous beaucoup de lettres? Avez-vous jamais écrit une lettre en français? Il faut essayer! Composez une lettre adressée à un ami (une amie) où vous racontez ce que vous avez fait à un événement (une boum?) auquel votre correspondant(e) n'a pas pu assister. La lettre de Gisèle (dans l'exercice D) pourra vous servir de modèle.

_____

_____,

_____

_____

_____

_____

_____

_____

_____

_____

_____

_____ ,

_____

F. Une grande personne compréhensive. Faites une description d'une grande personne que vous
admiriez quand vous étiez petit(e). Quel était votre rapport avec cette personne (tante, ami de la famille,
institutrice, etc.)? Quelles qualités admiriez-vous chez elle? Est-ce que cette personne a fait quelque
chose d'extraordinaire pour vous? Est-ce que vous la connaissez toujours? Votre rapport a-t-il changé?
Attention à l'emploi du passé composé et de l'imparfait.

_____

_____

_____

_____

_____

_____

_____

_____

_____

Chapitre 6

EXERCICES ORAUX

A l'écoute de la vie

AVANT D'ECOUTER

Dans la séquence sonore que vous allez écouter, il s'agit d'une dame qui se rappelle son premier emploi, quand elle était étudiante. C'était pendant l'été, et elle vendait quelque chose. Cochez les renseignements que vous anticipez.

la date de ce travail ___

la durée totale du travail ___

les heures de travail ___

la nature des produits vendus ___

le nom du magasin ou de la compagnie ___

le prix des produits ___

le salaire (de l'heure) ___

la somme totale gagnée ___

la relation avec les autres employés ___

la relation avec le patron/la patronne ___

A L'ECOUTE

A. Ecoutez la séquence deux ou trois fois et reprenez les renseignements catégorisés ci-dessus, en soulignant ceux qui sont réellement mentionnés. Rappelez-vous que vous n'avez pas besoin de tout comprendre pour accomplir cette tâche.

B. Ecoutez une autre fois et mettez les éléments suivants dans l'ordre dans lequel ils sont mentionnés.

1. _____   a. Frigécrème

2. _____   b. un pourcentage sur les ventes

3. _____   c. grand supermarché de type américain

4. _____   d. les nocturnes

5. _____   e. pas payée en fixe

6. _____   f. eskimo enrobé de chocolat

7. _____   g. 11h du matin

8. _____   h. le S.M.I.C. (salaire minimum)

9. _____   i. en Bretagne

10. _____   j. petits pots

C. Ecoutez une ou deux autres fois et indiquez si les phrases suivantes sont vraies (V) ou fausses (F). Si la phrase est fausse, barrez la faute et corrigez-la.

	V	F	CORRECTION
MODELE: Le premier job de la dame était en ~~1970.~~		X	1968

	V	F	CORRECTION
1. Elle gagnait le salaire minimum + un pourcentage.			
2. Son pourcentage était de 7%.			
3. Les prix étaient de 60 centimes, 1 franc et 1 franc 50			
4. C'était donc plus avantageux de vendre des petits pots (avec du rhum et des petits raisins) et des eskimos (avec du chocolat).			
5. Les ventes étaient difficiles les jours de pluie.			
6. La dame a fait ce travail pendant huit semaines.			
7. La première semaine, elle a eu l'idée de rester pour les nocturnes.			
8. Les nocturnes étaient tous les jours jusqu'à 23h.			

A vous la parole

PHONETIQUE

Falling Intonation

As you know, yes/no questions are characterized by rising intonation. When questions solicit answers other than yes or no (où?, comment?, qui?, quel... ?, etc.), they have falling intonation.

Compare the following pairs of questions. First, you will hear a yes/no question with rising intonation, and then you will hear an information question with falling intonation. (Turn on the tape.)

- Est-ce que Pierre travaille au café?

  Qui travaille au café?

- Nicole a gagné dix francs de l'heure?

  Combien est-ce que Nicole a gagné?

- Le cuisinier était-il grec?

  Quelle était la nationalité du cuisinier?

A. Le job d'été de Jacques. Vous allez entendre des questions à intonation montante. Modifiez les questions en demandant les renseignements en italique et en changeant l'intonation.

MODELE: *Vous entendez:* Est-ce que Jacques a travaillé *au café?*
           Vous répondez: Où est-ce que Jacques a travaillé?

1. Est-ce que Jacques a commencé à travailler *en juin?*
2. Est-ce que Jacques travaille *six jours* par semaine?
3. Est-ce que Jacques sympathise avec *ses collègues?*
4. Est-ce que *les clients* sont parfois difficiles?
5. Est-ce que Jacques a déjà demandé *une augmentation de salaire?*
6. Est-ce que le patron a réagi *en mettant Jacques à la porte?*

B. Vous êtes incrédule! Michèle va vous parler de son travail d'été. Pour chaque détail qu'elle présente, posez-lui deux questions à intonation différente, selon le modèle.

MODELE: (Quand est-ce que ≠ Est-ce que)
           Vous entendez: J'ai envoyé mon curriculum vitae en avril.
           Vous répondez: Quand est-ce que tu as envoyé ton curriculum vitae? Est-ce que tu as envoyé ton curriculum vitae en avril?

1. (Qu'est-ce que ≠ Est-ce que)   3.   (Quelle sorte de ≠ Est-ce que)
2. (Qui ≠ Est-ce que)

C. Les jobs d'été. C'est le moment de la rentrée scolaire et vos camarades vous parlent de leurs jobs d'été. Vous ne comprenez pas très bien, ce qui vous oblige à poser deux questions à chacun d'entre eux. Attention à l'intonation. Jobs: *un pompiste, une caissière, une serveuse, un cuisinier, une vendeuse.*

MODELE: *Vous entendez:* J'ai travaillé dans un café.
           Vous répondez: Est-ce que tu as travaillé comme serveuse? Que fait une serveuse exactement?

1. ...   2. ...   3. ...   4. ...

PAROLES ET STRUCTURES

A. Masculin, féminin. Les jeunes Françaises ont aussi besoin d'argent et donc, comme leur copains, elles cherchent souvent un petit job. Donnez l'équivalent féminin des métiers suivants.

MODELE: *Vous entendez:* Il est patron.
           Vous répondez: Elle aussi, elle est patronne.

1. ...   2. ...   3. ...   4. ...   5. ...   6. ...   7. ...   8. ...

B. Qu'est-ce que c'est? Regardez les dessins et répondez aux questions suivantes en donnant une définition du travail que font ces personnes. (Vous entendrez ensuite une des réponses possibles.)

MODELE:    *Vous entendez:* Qu'est-ce que c'est qu'un chauffeur?
           Vous répondez: C'est une personne qui conduit un véhicule.

1. 2. 3.

4. 5.

C. **Jacques Roberge vous parle.** Ecoutez Jacques Roberge. Il va vous parler de son travail et de ses espoirs. Ensuite, vous allez lui poser quatre questions pour vérifier l'information qu'il a donnée ou bien pour demander d'autres précisions. Ecrivez vos questions.

1. _____

_____

2. _____

_____

3. _____

_____

4. _____

_____

D. **Maintenant à vous!** Imaginez que vous cherchez un job à mi-temps pour l'année scolaire. Vous êtes à l'agence pour l'emploi de votre université où la directrice vous pose des questions. Répondez-lui honnêtement. (Vous entendrez ensuite une des réponses possibles.)

1. ...   2. ...   3. ...   4. ...

E. **A la préfecture de police.** Vous faites la queue à la préfecture de police à Paris pour recevoir votre carte de séjour. A cause du bruit, vous n'arrivez pas à entendre les questions posées par les employés, mais vous entendez certaines réponses. A partir de ces réponses, formulez les questions correspondantes. Utilisez une forme de *quel* dans chaque question.

MODELE: *Vous entendez:* Mary Smith.
Vous répondez: Quel est votre nom?

1. ...   2. ...   3. ...   4. ...   5. ...   6. ...

F. Des jeunes au travail. Regardez ces dessins d'étudiants qui travaillent à mi-temps. Ecoutez d'abord ce que chacun dit, puis posez une question pour apprendre où il ou elle travaille. Variez la forme de vos questions. (Vous entendrez ensuite une des questions possibles.)

MODELE:

Vous entendez: Je m'appelle Serge, je travaille comme serveur.
Vous demandez: Travaillez-vous dans un restaurant ou dans un café?

1.

2.

3.

4.

Dictée

Le texte que vous allez entendre représente un côté d'une conversation téléphonique. Ce sera à vous d'imaginer les réponses et de compléter cette conversation. La première fois, écoutez. La deuxième fois, écrivez en sautant une ligne après chaque question. Puis réécoutez le premier enregistrement pour corriger. Finalement, complétez le dialogue de façon logique.

ALLO?

— _____

_____

— _____

_____

_____

_____

_____

_____

_____

_____

EXERCICES ECRITS

Paroles

A. **La triste histoire d'un job d'été.** Louise Latour a cherché un poste comme employée de bureau l'été dernier. Décrivez comment elle a trouvé le job et ce qu'elle a fait une fois embauchée. D'abord, faites des phrases au passé composé; ensuite rangez-les par ordre logique.

MODELE: (voir l'annonce d'un poste à pourvoir) →
            Louise a vu l'annonce d'un poste à pourvoir.

1. (expliquer ses qualifications au patron)

_____

2. (être surmenée tous les jours de la semaine)

_____

3. (faire une demande d'emploi)

_____

4. (enfin passer sa première journée au bureau)

_____

5. (ne pas avoir de congés)

_____

6. (être très contente d'être embauchée)

_____

7. (se fâcher et donner sa démission)

_____

8. (demander les détails du salaire au patron)

_____

9. (apprendre les heures de travail du patron)

_____

10. (demander très gentiment une augmentation de salaire)

_____

11. (envoyer tout de suite son curriculum vitae)

_____

B. L'entrée dans le monde du travail. Quand on se prépare à entrer dans le monde du travail, il y a certaines tâches à accomplir. Une première tâche, c'est de préparer un curriculum vitae à présenter aux employeurs. Imaginez que vous cherchez un travail d'été en France. (A vous de préciser la nature de ce travail.) Préparez un C.V. où vous vous présentez et où vous décrivez vos qualifications.

Nom _____

Prénoms _____

Date de naissance _____

Nationalité _____

Diplômes _____

_____

_____

Qualifications _____

_____

_____

_____

Expérience professionnelle _____

_____

_____

_____

C. Les petites annonces. Lisez ces petites annonces pour des postes à pourvoir. A vous maintenant d'inventer une annonce pour un poste qui vous intéresserait. Il est permis de rêver.

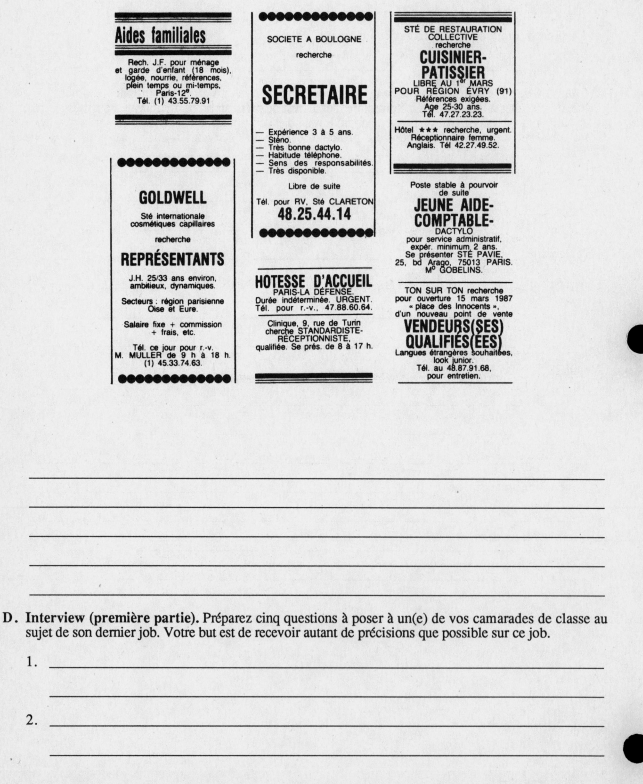

Aides familiales

Rech. J.F. pour ménage et garde d'enfant (18 mois), logée, nourrie, références, plein temps ou mi-temps, Paris-12ᵉ.
Tél. (1) 43.55.79.91

GOLDWELL

Sté internationale cosmétiques capillaires

recherche

REPRÉSENTANTS

J.H. 25/33 ans environ, ambitieux, dynamiques.

Secteurs : région parisienne Oise et Eure.

Salaire fixe + commission + frais, etc.

Tél. ce jour pour r.-v.
M. MULLER de 9 h à 18 h.
(1) 45.33.74.63.

SOCIETE A BOULOGNE

recherche

SECRETAIRE

— Expérience 3 à 5 ans.
— Sténo.
— Très bonne dactylo.
— Habitude téléphone.
— Sens des responsabilités.
— Très disponible.

Libre de suite

Tél. pour RV. Sté CLARETON
48.25.44.14

HOTESSE D'ACCUEIL
PARIS-LA DÉFENSE.
Durée indéterminée. URGENT.
Tél. pour r.-v., 47.88.60.64.

Clinique, 9, rue de Turin cherche STANDARDISTE-RECEPTIONNISTE, qualifiée. Se prés. de 8 à 17 h.

STÉ DE RESTAURATION COLLECTIVE
recherche
CUISINIER-PATISSIER
LIBRE AU 1ᵉʳ MARS
POUR RÉGION ÉVRY (91)
Références exigées.
Age 25-30 ans.
Tél. 47.27.23.23.

Hôtel ★★★ recherche, urgent. Réceptionnaire femme. Anglais. Tél 42.27.49.52.

Poste stable à pourvoir de suite
JEUNE AIDE-COMPTABLE-
DACTYLO
pour service administratif, expér. minimum 2 ans.
Se présenter STÉ PAVIE, 25, bd Arago, 75013 PARIS. Mᵒ GOBELINS.

TON SUR TON recherche pour ouverture 15 mars 1987 « place des Innocents », d'un nouveau point de vente
VENDEURS(SES) QUALIFIÉS(EES)
Langues étrangères souhaitées, look junior.
Tél. au 48.87.91.68, pour entretien.

_____

_____

_____

_____

_____

D. Interview (première partie). Préparez cinq questions à poser à un(e) de vos camarades de classe au sujet de son dernier job. Votre but est de recevoir autant de précisions que possible sur ce job.

1. _____

_____

2. _____

_____

3. _____

   _____

4. _____

   _____

5. _____

   _____

Interview (deuxième partie). Choisissez un(e) camarade et posez-lui vos questions. Notez ses réponses ci-dessous.

1. _____

   _____

2. _____

   _____

3. _____

   _____

4. _____

   _____

5. _____

   _____

E. **Vos questions ont-elles été pertinentes?** Ecrivez un paragraphe (aussi long que possible!) où vous précisez tout ce que vous avez appris sur le job de votre camarade. Comparez votre paragraphe à celui de vos autres camarades pour décider si vos questions étaient pertinentes.

_____

_____

_____

_____

_____

_____

_____

_____

_____

Structures

A. *La grande vie,* **vous connaissez?** Modifiez les questions suivantes en utilisant la forme courte, si elle est possible.

MODELE: Qui est-ce qui est venu hier? →
Qui est venu hier?

1. Qu'est-ce que c'est que la grande vie?

   _____

2. De quoi est-ce que Pouce et Poussy ont besoin?

   _____

3. A qui est-ce que Pouce et Poussy pensent souvent?

   _____

4. Qu'est-ce que maman Janine a dit?

   _____

5. Qui est-ce que «les deux terribles» ont rencontré à l'atelier de confection?

   _____

6. Qu'est-ce qui leur donne envie de voyager?

   _____

B. *La grande vie,* **précisez un peu!** Formulez des questions auxquelles les phrases suivantes sont des réponses. Utilisez la forme correcte de *quel* dans la première question et la forme correcte de *lequel* dans la seconde.

MODELE: La secrétaire de l'atelier aime les pantalons Ohio Made in U.S.A. →
    a.   Quels pantalons est-ce que la secrétaire aime?
    b.   Lesquels est-ce que la secrétaire aime?

1. Pouce et Poussy aiment la musique d'Yves Duteil.

   _____

   _____

2. Pouce a envie de visiter Rome et Munich.

   _____

   _____

3. Poussy rêve des îles Fidji.

   _____

   _____

4. La grande vie les fascine, toutes les deux.

_____

_____

C. *La grande vie,* **quel devoir de français difficile!** Finissez-vous toujours vos devoirs de français? Imaginez que vous avez préparé très rapidement la deuxième lecture de **La grande vie** (p. 123) et que vous n'avez qu'une idée très vague de l'intrigue (*plot*). Rédigez cinq questions à poser à un(e) camarade de classe plus diligent(e) que vous.

1. _____

_____

2. _____

_____

3. _____

_____

4. _____

_____

5. _____

_____

D. **Sois plus précise!** Votre copine Nicole vous raconte comment elle a trouvé un job à la bibliothèque de l'université. Vous vous intéressez au même type de job. Après chacun de ses commentaires, écrivez une question pour demander des précisions. Utilisez une forme de *quel* ou *lequel*.

MODELE: —J'ai vu l'annonce sur un panneau d'affichage. →
—*Sur quel panneau (Sur lequel) as-tu vu l'annonce?*
—Sur le panneau devant la cafétéria.

1. —Trois bibliothécaires cherchaient des assistants.

— _____

—Mme Jones, M. Maldelair et Mlle Smith.

2. —Alors je me suis présentée. D'abord Mlle Smith voulait parler avec certains de mes professeurs.

— _____

—Avec mon professeur de français et de chimie, surtout. Je crois qu'elle les connaît.

3. —Tous les trois m'ont posé des questions que j'ai trouvées un peu étranges.

— _____

—La question de M. Maldelair était la plus surprenante. Il voulait savoir si j'aimais les voyages en avion.

4. —J'ai eu un deuxième entretien avec une des dames.

   — _____

   —Avec Mme Jones.

5. —J'ai été ravie quand on m'a engagée pour un des trois postes.

   — _____

   —Celui d'assistante à M. Maldelair.

E. **_Votre entretien à la bibliothèque._** Ayant reçu des précisions de Nicole, vous avez fait une demande pour un des postes à la bibliothèque. Dans quelques minutes un des bibliothécaires va vous interviewer. Ecrivez des questions sur les points suivants à poser pendant l'entretien.

1. les heures de travail: _____

   _____

2. le nom de votre patron(ne): _____

   _____

3. vos responsabilités: _____

   _____

4. le salaire: _____

   _____

5. la possibilité de faire des heures supplémentaires: _____

   _____

F. **_La grande vie:_** **qu'est-ce que c'est pour vous?** Vous avez lu les impressions de Pouce et Poussy sur la grande vie. Vous avez sans doute interrogé un(e) camarade de classe sur sa conception de la grande vie. Maintenant, c'est à vous d'écrire une petite rédaction où vous définissez votre propre conception de la grande vie. Il est permis de rêver.

_____

_____

_____

_____

_____

_____

_____

_____

Thème III

Chapitre 7

EXERCICES ORAUX

A l'écoute de la vie

AVANT D'ECOUTER

Sachant que l'interview que vous allez entendre est sur la télé en France, quels sujets spécifiques pouvez-vous anticiper? Donnez quatre possibilités (en français ou en anglais).

_____

_____

_____

_____

A L'ECOUTE

A. Ecoutez une première fois pour voir si un ou plusieurs des sujets que vous avez notés sont véritablement discutés. Lesquels?

_____

_____

B. Ecoutez une ou deux autres fois et cochez les réponses—vrai ou faux?

V   F

☐   ☐   1. Trois des chaînes de télévision française sont encore contrôlées par le gouvernement.

☐   ☐   2. La Cinq a été la première chaîne privée en France.

☐   ☐   3. Selon le monsieur qui parle, les coupures publicitaires sont très fréquentes pendant les films qui passent sur les chaînes privées.

☐   ☐   4. Les films les plus récents passent d'abord sur FR3.

☐   ☐   5. Six chaînes différentes sont mentionnées dans cette interview.

☐   ☐   6. Une seule chaîne payante est mentionnée.

C. Ecoutez encore et complétez.

1. _____ est le nom de la chaîne qui a été privatisée il y a quelques années.

2. Les deux avantages de Canal + sont _____

   et _____.

3. Qu'est-ce que les deux personnes interviewées aiment regarder à la télé?

   L'ADOLESCENTE   LE MONSIEUR

   _____   _____

   _____   _____

   _____   _____

D. Selon cette interview, quelle est, pour le téléspectateur, la différence principale entre les chaînes privées et les chaînes contrôlées par le gouvernement? Expliquez.

_____

_____

_____

A vous la parole

PHONETIQUE

Mute *e*

The vowel *e* written without an accent in French is called a "mute *e*" (*e* muet, *e* caduc). This type of *e* differs from the sound /e/ (written **é**) and the sound /ɛ/ (usually written **è, ê**), in two ways. It is often not pronounced and, if pronounced, its sound is /ə/, similar to the vowel in **deux.**

The mute *e* is generally *not* pronounced when it occurs between two consonants: **samédi, facilément.** It *is* pronounced when its omission would cause three or more consonants to come together: **vendredi, sacrement.** This is known as the "rule of three consonants": CC[ə]C.

In this lesson, you are learning a certain group of verbs that take the preposition **de** before an infinitive object. (**Je viens de partir.**) The phonetic context will determine how **de** will be pronounced. For example: **Je te dis dé partir** (not pronounced); **J'ai peur de partir** (pronounced).

In this chapter, your work with the mute *e* will concentrate on the pronunciation of the preposition **de.**[*] Now turn on the tape.

A. Le *e* est-il vraiment muet? Lisez les phrases suivantes en écoutant le présentateur. Ensuite, répétez la phrase. Faites attention de prononcer le *e* muet s'il le faut. Soulignez le *e* muet si vous le prononcez.

1. Jean n'arrête pas de regarder la télévision.
2. Il n'a jamais envie de sortir.
3. Il n'a pas honte de ne pas faire ses devoirs.
4. Ses parents ont l'intention de vendre son téléviseur.
5. Ils ont raison de le vendre.

B. La télé et vous. Un journaliste vous pose des questions pour essayer de connaître vos habitudes de téléspectateur ou téléspectatrice. Répondez affirmativement à toutes ses questions sauf à la dernière.

   1. ...   2. ...   3. ...   4. ...

---

[*] Note that *n* in combination with a vowel (**bon, en**vie, **bain,** and so on) is considered part of the nasal vowel. It is not considered a consonant.

PAROLES ET STRUCTURES

A. Un week-end avec les médias. René est amateur de médias. Ecoutons-le décrire ses préférences et ses projets pour le week-end. Ensuite écoutons ce que dit la mère de René sur son fils. Si elle dit vrai, dites-lui qu'elle a raison; sinon, corrigez-la.

MODELES: a. *Vous entendez:* Mon fils regarde souvent la télé.
              Vous répondez: Oui, Madame. C'est vrai.

          b. *Vous entendez:* Mon fils préfère la musique italienne.
              Vous répondez: Moi, je pense qu'il préfère la musique anglaise et américaine.

1. ...   2. ...   3. ...   4. ...

B. Ressemblez-vous à René? La mère de René veut savoir si vous aussi, vous êtes un fanatique des médias tout comme son fils. Expliquez-lui vos goûts en répondant à ses questions (répétées deux fois). Ecrivez vos réponses.

1. _____

2. _____

3. _____

4. _____

LA CINQ 5

| **7.00** | **Dessins animés** |

● Arthur ● Lalabel ● Lucile ● Shérif fais-moi peur.

| **9.00** | **Buck Rogers** |

« Les Visiteurs de l'au-delà ».

| **10.30** | **Lou Grant** |

« Viol ».

| **11.20** | **Circuit** |

Magazine de Jean-Luc Roy ● Formule 1 : essais à Rio de Janeiro. Le circuit espagnol de Jarama ● Automobile : les 24 Heures de Paris ● Le scooter des neiges ● Épreuves de short track, à Daytona (États-Unis). ● Essais de F1 à Rio. ● Portrait du motard Freddy Spencer.

| **11.55** | **Réussites** |

Magazine de Patrick de Carolis. Les écoles télélangues. L'expert en peinture et propriétaire de galerie, Maurice Sigoura. Le jockey Freddy Head.

| **12.30** | **Reporters** |

Magazine présenté par Patrick de Carolis. Le football, un sport sous haute surveillance ● Système Fara : système aérotransportable de reconnaissance aérienne embarqué sur mirage de l'armée de l'air. ● Le Sénégal.

| **13.00** | **Journal** |

Présenté par Gilles Schneider.

| **13.35** | **Superminds** |

« Le Maléfice ».

| **14.30** | **Galactica** |

« La Patrouille lointaine ».

| **15.20** | **Wonder Woman** |

« Séance de terreur ».

| **16.15** | **Childéric** |

| **16.45** | **Youpi l'école est finie** |

● Vanessa ● Lydie ● Flo ● Jeanne et Serge.

| **18.25** | **Happy Days** |

| **18.55** | **Images** |

| **19.02** | **La Porte magique** |

| **19.30** | **Boulevard Bouvard** |

| **20.00** | **Journal** |

Présenté par Marie-France Cubadda.

| **20.30** | **Dallas** |

Quinzième épisode. « Un cadavre encombrant ».
Avec : **Larry Hagman** (JR), **Victoria Principal** (Pam), **Patrick Duffy** (Bobby).
JR continue de méditer un plan pour se débarrasser de Calhoun qui contrarie ses ambitions...

| **21.35** | **L'Inspecteur Derrick** |

« L'Heure du crime ».

| **22.35** | **Télématches** |

Magazine sportif de Pierre Cangioni, présenté par Fabrice Baledent. Résultats à 22.35, 23.30 et 0.30.

● Football : Matra-Racing-Montpellier, Bordeaux-Monaco, Nice-Marseille. Reportage sur les Girondins de Bordeaux ● Rugby : France-Galles et Irlande-Angleterre ● Cyclisme : Milan-San Remo (Italie) ● Championnat de France de judo ● Natation : championnat de France d'hiver ● Volley-ball : Montpellier-Sète ● La semaine du sport ● Journal du tennis.

| **1.05** | **Lou Grant** |

| **1.55** | **Kojak** |

| **2.45** | **Childéric** |

C. Demain à la cinq. Quelques-uns de vos copains qui n'ont pas de programme vous téléphonent pour vous demander ce qui passe à la télé aujourd'hui. Arrêtez la cassette pour regarder le programme. Ensuite, écoutez la description de leurs intérêts et proposez des émissions. (Vous entendrez ensuite une des réponses possibles.)

MODELE: *Vous entendez:* J'aimerais voir une émission sur la conquête de l'espace.
Vous répondez: Tu peux regarder «Galactica» à 14h30.

1. ...   2. ...   3. ...   4. ...   5. ...

D. En quittant la bibliothèque... Regardez ces étudiants. Ils font leurs devoirs, oui, mais ils pensent déjà à ce qu'ils vont faire plus tard. Répondez aux questions en suivant le modèle.

MODELE: *Vous entendez:* Qu'est-ce que Jacques va faire plus tard?
Vous répondez: Jacques va faire de la natation.

1. ...   2. ...   3. ...   4. ...   5. ...

E. Maintenant à vous! Savez-vous déjà ce que vous allez faire? Après avoir quitté le laboratoire, quels sont vos projets? Répondez aux questions (répétées deux fois). (Vous entendrez ensuite une des réponses possibles.)

1. ...   2. ...   3. ...   4. ...

F. Dans une médiathèque. Avez-vous déjà visité une médiathèque? Regardez le dessin et répondez aux questions (répétées deux fois).

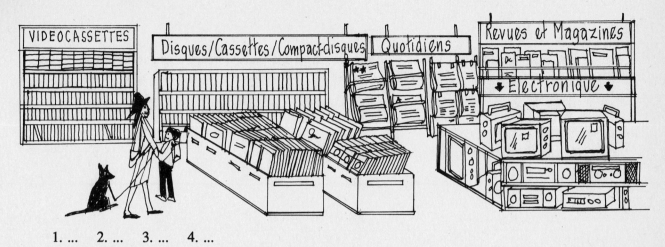

1. ...   2. ...   3. ...   4. ...

G. Maintenant à vous! Imaginez que vous avez cent dollars à dépenser dans cette même médiathèque. Ecoutez les questions deux fois et donnez votre réponse.

1. ...   2. ...   3. ...

Dictée

Vous entendrez la dictée deux fois. La première fois, écoutez. La deuxième fois, écrivez. Puis réécoutez le premier enregistrement pour corriger. Ensuite, répondez à la question.

_____

_____

_____

_____

_____

_____

_____

_____

_____

Question: A votre avis, qui parle, et de qui?

_____

EXERCICES ECRITS

Paroles

A. **La société médiatique.** Trois jeunes Français vous font une description de leurs principales activités médiatiques. Complétez le texte suivant en utilisant les mots de la liste de droite. Rajoutez des articles, si nécessaire.

journaux
allumer
émissions
petites annonces
recevoir
radio
films
parlée
version originale
antenne
magazines
doublés

THIERRY

Pour moi, qui aime beaucoup la musique anglaise, j'écoute

constamment _____.¹ Les

_____² que je préfère sont celles qui jouent la

musique des jeunes. Puisque _____³ de mon

poste est très puissante, il m'arrive parfois de pouvoir

_____⁴ l'Angleterre.

NICOLE

La presse _____⁵ m'intéresse beaucoup moins que

la presse écrite. C'est pour cela que je lis deux

_____⁶ tous les jours ainsi que des

_____⁷ d'actualités internationales. En ce

moment, je lis soigneusement _____⁸ parce que je

suis en train de chercher un travail.

LUC

Moi, dès que je rentre, j'_____⁹ mon poste de

télé. J'aime surtout voir _____¹⁰ américains.

Malheureusement, à la télévision française, ils sont souvent

_____.¹¹ Je préfère les voir en

_____,¹² avec sous-titres, pour améliorer mon

anglais.

B. La télévision, ce n'est pas simplement regarder. Voici d'autres verbes et expressions qui ont un rapport avec la télévision. Pour chacun d'entre eux composez une phrase.

MODELE: (éteindre) → Si on ne trouve pas d'émissions intéressantes, on éteint la télé.

1. (brancher) _____

_____

2. (allumer) _____

_____

3. (régler le son) _____

_____

4. (changer de chaîne) _____

_____

5. (vendre le poste) _____

_____

C. Votre week-end et les médias. Composez oralement une petite description en cinq phrases de vos projets en compagnie des médias pour le week-end prochain. Donnez autant de détails que possible. Voici une liste d'expressions utiles: *la radio, un feuilleton à la télé, un journal quotidien, des magazines, le journal télévisé, avoir l'intention de, aller + infinitif, vouloir, compter, espérer.*

_____

_____

_____

_____

_____

_____

_____

_____

D. Vive la diversité! Il y a beaucoup de types d'émissions télévisées. En vous référant au programme de la Cinq (page 73 de ce manuel), essayez de trouver un exemple de quatre types différents d'émission. Quelles sortes d'émissions ne figurent pas au programme? Nommez-en plusieurs.

MODELE: Il y a des dessins animés à 7h30.

_____

_____

_____

_____

_____

_____

_____

_____

_____

Quelle émission aimeriez-vous regarder maintenant? _____

E. **La vraie guerre des étoiles ou... ?** Un journaliste à *Paris-Match* a créé le titre de la **Lecture** de ce chapitre. Imaginez que vous êtes journaliste à un quotidien français et que ce même article va paraître à la une. Pouvez-vous proposer deux ou trois autres titres? Faites preuve d'originalité.

_____

_____

_____

F. **La presse écrite et vous.** Ecrivez un paragraphe où vous décrivez le rôle de la presse écrite dans votre vie. Dans votre paragraphe, précisez (1) le type de presse écrite que vous préférez et pourquoi, (2) le genre d'articles qui vous intéresse le plus... et le moins, et (3) dans quelles circonstances vous lisez les petites annonces et les réclames.

_____

_____

_____

_____

_____

_____

_____

_____

_____

_____

Structures

A. Rencontres du troisième type. Pierre Morier adore la science-fiction sous toutes ses formes. Complétez son commentaire en rajoutant la préposition *à* ou *de* si nécessaire.

Depuis trois ans, je m'amuse _____[1] lire des contes de science-fiction. Avec mon argent de

poche, je préfère _____[2] acheter des bouquins de science-fiction. Ma mère m'empêche

_____[3] dépenser plus de 50F par semaine mais parfois j'arrive _____[4] rapporter

des bouquins en cachette et elle ne peut pas _____[5] distinguer les nouveaux des autres!

Et puis, il y a le cinéma. J'adore _____[6] inviter mes copains _____[7]

m'accompagner aux films de science-fiction avec des vaisseaux spatiaux et des robots. Je suis déjà allé

_____[8] voir *La Guerre des étoiles* quatre fois! Mais le film que je préfère, c'est *E.T.* J'espère

_____[9] le revoir la semaine prochaine. Je continue _____[10] penser qu'un petit

bonhomme comme E.T. existe quelque part et qu'il peut _____[11] devenir mon ami et

qu'après m'avoir rendu visite, il va _____[12] me demander _____[13] l'aider

_____[14] retourner chez lui.

B. Et après? Répondez aux questions suivantes à propos de vos projets pour les semaines à venir. Utilisez un infinitif passé dans chaque réponse.

MODELE: Quand allez-vous regarder la télé? →
           Après avoir passé tous mes examens, je vais regarder la télé.

1. Quand comptez-vous téléphoner à un copain ou à quelqu'un de votre famille?

    _____

    _____

2. A quel moment avez-vous l'intention de vous reposer?

    _____

3. Voulez-vous prendre un grand repas? A quelle occasion?

    _____

    _____

4. Quand espérez-vous avoir le temps de feuilleter un magazine?

    _____

    _____

5. Tenez-vous à faire la fête? Quand?

_____

_____

C. **Bonne année!** La tradition veut que l'on prenne des résolutions à l'occasion du nouvel an. A vous d'en proposer cinq pour l'année prochaine. Utilisez le verbe indiqué pour chacune d'entre elles.

1. (avoir l'intention de) _____

_____

2. (compter) _____

_____

3. (tenir à) _____

_____

4. (vouloir) _____

_____

5. (espérer) _____

_____

Sont-elles sages ou capricieuses, vos résolutions?

D. **J'adore... je déteste...** En utilisant les verbes suivants, faites une liste des activités de la vie quotidienne que vous aimez le plus et celles que vous aimez le moins. Faites attention de rajouter s'il le faut une préposition devant un verbe-objet.

adorer	s'amuser	refuser
détester	avoir peur	devoir
essayer	préférer	rêver
être obligé(e)	renoncer	avoir envie
hésiter	tenir	vouloir

1. _____

2. _____

3. _____

4. _____

5. _____

6. _____

Maintenant, utilisez cette liste pour composer un petit paragraphe sur vos préférences et vos aversions. Faites surtout attention à la phrase d'introduction et trouvez une ou deux idées principales à développer dans le paragraphe.

_____

_____

_____

_____

_____

_____

_____

_____

_____

_____

E. La conquête de l'espace: qu'en pensez-vous? A la page 139 de votre livre se trouvent les résultats d'un sondage où il s'agit des opinions des Français sur la conquête de l'espace. A partir des quatre questions (*Quoi? Qui? Comment? Et vous?*), composez deux paragraphes. Dans le premier paragraphe, offrez vos réponses personnelles aux questions du sondage; dans le second, donnez votre opinion sur la conquête de l'espace. Faites attention à la phrase d'introduction de chaque paragraphe et à l'idée principale.

_____

_____

_____

_____

_____

_____

_____

_____

_____

_____

_____

_____

_____

_____

_____

_____

_____

_____

_____

Avant de rendre ce devoir, vérifiez que l'idée principale de chaque paragraphe est claire.

Chapitre 8

EXERCICES ORAUX

A l'écoute de la vie

AVANT D'ECOUTER

La bande sonore que vous allez écouter est une interview sur l'avenir, non pas avec quelqu'un de jeune qui a tout son avenir devant soi, mais avec une personne âgée qui sait ce que l'avenir représente à différentes périodes de la vie.

Pour vous, quelles sont les périodes de la vie où la perspective sur l'avenir pourrait changer? Pour chaque période indiquée ci-dessous, imaginez les éléments essentiels de l'avenir.

MODELE: _____17 ans_____ → _____choisir une université_____

AGE APPROXIMATIF   CE QUE L'AVENIR REPRESENTE

1. _____   _____

                          _____

2. _____   _____

                          _____

3. _____   _____

                          _____

A L'ECOUTE

A. Ecoutez une première fois et notez l'âge de la personne qui parle, puis les trois périodes considérées dans l'interview.

1. _____

2. _____   _____   _____

B. Ecoutez une ou deux autres fois et complétez.

PERIODE   CE QUE L'AVENIR REPRESENTAIT

1. _____   _____

                          _____

2. _____   _____

                          _____

3. _____   _____

    _____

C. Ecoutez encore une fois et répondez.

   1. Quel genre d'études Mme Bourhis a-t-elle fait?

   _____

   2. Comment a-t-elle amélioré (*improved*) sa carrière? Qu'est-elle devenue?

   _____

   _____

   3. Pourquoi les retraités ont-ils besoin d'oublier qu'ils sont en retraite? Trouvez-vous ces pensées surprenantes? (Pourquoi?)

   _____

   _____

   _____

   4. D'après le contexte des dernière phrases de la séquence sonore, quel est le sens du mot «soulagement»?

   _____

A vous la parole

PHONETIQUE

Mute *e* (continued)

Another case where the pronunciation of mute *e* is important concerns the future forms of *-er* verbs. The *e* that precedes the future tense endings is often not pronounced; for example: **je dînérai, vous payérez.**

   The "rule of three consonants" still holds for these verbs. If there are two consonant sounds before the *e,* the mute *e* will be pronounced: **je parlerai, nous entrerons;** if there is only one consonant sound, the *e* will be mute: **tu téléphonéras, vous mangérez.**

In this chapter, your work with the mute *e* will deal with the simple future forms of *-er* verbs.

Now turn on the tape.

A. **Le *e* muet: l'est-il vraiment?** Voici une liste de verbes en *-er* conjugués au futur simple. Prononcez ces verbes en faisant particulièrement attention à la prononciation du *e* muet. (Ensuite, répétez la bonne prononciation.)

   1. je porterai
   2. nous tomberons
   3. ils féront
   4. vous voyagérez

   5. elle parlera
   6. tu te depêchéras
   7. vous risquerez

B. L'avenir, c'est l'an 2000. Vous allez entendre des phrases à la forme négative qui décrivent votre vie actuelle. Changez les phrases à la forme affirmative en transformant le verbe au futur simple. Attention à la prononciation du *e* muet.

MODELE: *Vous entendez:* Aujourd'hui vous ne voyagez pas en satellite.
Vous répondez: Mais en l'an 2000, je voyagerai peut-être en satellite.

1. ...   2. ...   3. ...   4. ...

C. La réussite en face. Vous souvenez-vous de l'enquête «L'avenir en face»? Jugez de l'importance des possibilités proposées pour votre propre réussite future. Arrêtez la cassette pour revoir le sondage, puis répondez aux questions.

· ·

L'avenir en face

Pour toi, réussir dans la vie, c'est...

Avoir un métier intéressant	64%
Aider les autres	44
Etre sûr(e) de ne jamais être au chômage	34
Faire ce qu'on a envie	31
Savoir se servir d'un ordinateur	27
Gagner beaucoup d'argent	27
Travailler dans les métiers d'avenir	27
Commander les autres	4

Dans une dizaine d'années, quand tu auras à peu près 20 ans, la vie sera...

Mieux que maintenant	49%
Pareille que maintenant	31
Moins bien que maintenant	20

Parmi ces mauvaises choses, quelles sont celles qui, à ton avis, arriveront quand tu auras à peu près 20 ans?

Il n'y aura pas de travail	34%
Il y aura la guerre	22
Il y aura beaucoup de maladies	20
Il n'y aura presque plus d'animaux	18
Il fera beaucoup plus froid	16
Il n'y aura presque plus à manger	6
Sans réponse	18

Et parmi ces bonnes choses?

L'ordinateur aura changé la vie	38%
Il y aura des robots partout	33
Il n'y aura plus d'enfants qui ont faim	33
Tu pourras voyager dans l'espace	31
On vivra beaucoup plus longtemps	27
On travaillera moins	26
Tous les pays vivront en paix	25
Il y aura du travail pour tout le monde	21

· ·

1. ...   2. ...   3. ...   4. ...

PAROLES ET STRUCTURES

A. L'avenir de Pierre. Si Pierre Morier aime la science-fiction, c'est qu'il y voit un reflet de sa vie future. Ecoutons-le décrire sa vie telle qu'il l'envisage dans vingt-cinq ans. Ensuite, Pierre vous posera des questions pour voir si vous êtes d'accord avec lui. Donnez vos réponses au futur. (Vous entendrez ensuite une des réponses possibles.)

MODELE: *Vous entendez:* Dans vingt-cinq ans, auras-tu beaucoup vieilli?
Vous répondez: Oui, comme toi, dans vingt-cinq ans, j'aurai beaucoup vieilli.
Ou bien: Non, dans vingt-cinq ans, je n'aurai pas beaucoup vieilli.

1. ...   2. ...   3. ...   4. ...

B. Qu'est-ce qui ne changera pas d'ici vingt-cinq ans? Après avoir réfléchi aux changements que l'avenir apportera, il est temps de réfléchir aux aspects de la vie qui ne changeront peut-être pas. Ecoutez les questions (répétées deux fois) et écrivez vos réponses.

1. _____

_____

2. _____

_____

3. _____

_____

4. _____

_____

5. _____

_____

C. Votre vie et les ordinateurs en l'an 2000. Il est incontestable que l'ordinateur jouera toujours un rôle important en l'an 2000. A partir des indices suivants, composez des phrases qui décrivent les rôles que l'ordinateur jouera (ou ne jouera pas) dans votre vie.

MODELE: *Vous entendez:* acheter vos vêtements
        Vous répondez: J'achèterai (Je n'achèterai pas) mes vêtements par ordinateur.

1. (acheter vos provisions)   4. (choisir vos amis)
2. (payer vos factures)   5. (décider de votre profession)
3. (commander des livres)

D. Un entretien avec E.T. Vous souvenez-vous d'E.T.? Imaginez que vous avez l'occasion de lui parler. Il vous pose des questions sur votre vie actuelle et future. Donnez votre réponse. (Vous entendrez ensuite une des réponses possibles.)

1. ...   2. ...   3. ...   4. ...

E. Janvier 2000. Référez-vous au dessin et répondez aux phrases en indiquant si elles sont vraies ou fausses. Si la phrase est fausse, corrigez-la.

MODELES: a. *Vous entendez:* Les enfants auront toujours des jouets.
                 Vous répondez: Oui, c'est vrai. Les enfants auront toujours des jouets.

          b. *Vous entendez:* Une mère de famille travaillera plus qu'aujourd'hui.
                 Vous répondez: Au contraire, une mère de famille travaillera moins qu'aujourd'hui.
                 Des robots feront le travail.

1. ...   2. ...   3. ...   4. ...

F. Quelle vie de robot! Imaginez que le robot du dessin précédent vient d'arriver chez vous et qu'il faut lui expliquer ses nouvelles responsabilités. Complétez le dialogue suivant en répondant à ses questions. Utilisez *tu* et un verbe au futur. (Vous entendrez ensuite une des réponses possibles.)

1. (préparer et servir le dîner)   3. (?)
2. (oui / après, faire le ménage)   4. (?)

G. L'ordinateur: êtes-vous pour ou contre? Exprimez votre opinion sur l'ordinateur en écrivant votre réponse aux questions (répétées deux fois).

1. _____

_____

2. _____

_____

3. _____

_____

Dictée

Vous entendrez la dictée deux fois. La première fois, écoutez. La deuxième fois, écrivez. Ensuite, réécoutez le premier enregistrement pour corriger. A la fin, donnez votre réaction. (N.B.: «à la ligne» = *new paragraph.*)

_____

_____

_____

_____

_____

_____

_____

_____

_____

_____

_____

_____

Quelle est votre réaction à ce texte?

_____

_____

EXERCICES ECRITS

Paroles

A. **La langue de l'an 2000.** Complétez le paragraphe suivant en utilisant le vocabulaire du **Chapitre 8.** Rajoutez des articles, si nécessaire. Vous pouvez revoir la section **Paroles** dans votre livre avant de continuer.

En l'an 2000 _____ [1] d'une navette spatiale sera banal et

_____ [2] seront aussi nombreux que les pilotes d'avion aujourd'hui.

_____ [3] nous transmettront des émissions de télévision des quatre coins du monde.

Nous serons déjà entrés dans l'âge nucléaire. Puisqu'il faudra utiliser beaucoup

d'_____⁴ on aura construit des _____⁵ un peu partout. Et

donc, le problème des _____⁶ existera de manière même plus aiguë qu'aujourd'hui.

Il existera toujours les mêmes problèmes entre les nations. La course _____⁷

continuera et chaque grand pays aura un ensemble de militaires pour se protéger contre ses «ennemis».

_____⁸ protégera les terres, _____⁹ les eaux et

_____¹⁰ les espaces aériens.

A l'intérieur des pays développés il y aura toujours des problèmes économiques et sociaux.

Puisqu'il n'y aura pas de travail pour tout le monde, _____¹¹ sera un des plus

graves problèmes économiques. Et par conséquent, la ségrégation _____¹² dans

_____¹³ continuera aussi.

B. Un nouvel âge, de nouveaux rôles. En l'an 2000, les gens auront des rôles différents par rapport à aujourd'hui. Complétez les phrases suivantes en proposant un rôle futuriste pour chacune des personnes. Faites preuve d'imagination.

1. En l'an 2000, un astronaute _____

   _____

2. En l'an 2000, un robot _____

   _____

3. En l'an 2000, un militaire _____

   _____

4. En l'an 2000, un retraité _____

   _____

5. En l'an 2000, les privilégiés _____

   _____

6. En l'an 2000, un étudiant en français _____

   _____

C. Mais on pourra toujours rêver! Heureusement le rêve existera encore en l'an 2000! Nous en aurons bien besoin. Pouvez-vous imaginer en quoi consisteront vos rêves d'ici vingt-cinq ans? Donnez votre réponse en complétant les phrases suivantes. Utilisez le futur simple ou le futur antérieur selon le cas.

1. Pour m'échapper, je _____

_____

2. Pour atteindre mes buts, _____

_____

3. Pour réaliser mes aspirations personnelles, _____

_____

_____

4. Pour réaliser mes aspirations professionnelles, _____

_____

_____

5. Pour réussir ma vie, _____

_____

D. Le nirvana sur terre, est-ce possible? Utilisez les mots ci-dessous pour finir le paragraphe suivant qui décrit un monde idéal. Contrastez les problèmes actuels avec leur résolution future. Variez les verbes et la structure des phrases. Utilisez le futur.

la pollution	la santé	l'air pur
la pauvreté	le plein-emploi	la maladie
le chômage	l'harmonie entre les races	l'égalité
la ségrégation		

Dans un monde idéal, il n'y aura plus de guerre: toutes les nations vivront en paix. _____

_____

_____

_____

_____

_____

_____

_____

_____

E. **C'est plus facile à dire qu'à faire!** Choisissez deux des «problèmes résolus» de l'exercice précédent et écrivez deux paragraphes où vous précisez comment les problèmes seront résolus. Qu'est-ce qu'il faudra pour éliminer ces deux problèmes?

_____

_____

_____

_____

_____

_____

_____

_____

_____

_____

Structures

A. **Chez les Sélénites.** Pour faire plaisir à votre ami(e), vous décidez de faire un voyage sur la lune pour rendre visite aux Sélénites. Vous réfléchissez à votre arrivée chez eux. Complétez le paragraphe suivant en choisissant le verbe convenable et en le conjuguant au futur. N'utilisez chaque verbe qu'une seule fois.

Nous _____[1] chez les Sélénites dans mon

engin spatial. Le voyage _____[2] vite fait, deux

petites heures seulement. En route nous _____[3]

beaucoup de merveilles par le hublot (*porthole*).

Quand nous _____[4] sur la lune, des Sélénites

_____ nous rencontrer. Ils nous

_____[6] les bras ouverts. Nous

_____[7] de communiquer avec eux par des gestes.

Il _____[8] nuit et nous

_____[9] une terre humide. Nous

_____[10] envie de voir cette terre sous le soleil

mais nous _____[11] attendre trois jours.

se mettre
voir
être
aller
venir
appeler
avoir
faire
essayer
recevoir
découvrir
devoir
arriver

Avant de dîner, mon ami(e) _____[12] ses

parents en utilisant un téléphone lunaire. Ensuite, nous

_____[13] à table pour un véritable festin de lune,

au clair de terre!

B . **Votre première journée sur la lune.** Après avoir bien dormi, vous et votre ami(e) serez prêts à commencer votre visite de la lune. Pendant le petit déjeuner, vous anticipez cette première découverte. Complétez les phrases suivantes en utilisant le futur simple et/ou le futur antérieur.

MODELE: Lorsque <u>nous aurons fini de déjeuner, nous partirons avec nos guides sélénites.</u>

1. Dès que _____

   _____

2. Aussitôt que _____

   _____

3. Tant que _____

   _____

4. Quand _____

   _____

5. Après que _____

   _____

6. Lorsque _____

   _____

C . **Les surprises sélénites: êtes-vous prêt(e)?** Votre visite chez les Sélénites ne se passera sûrement pas sans quelques surprises. Imaginez d'abord cinq surprises qui vous attendent, puis expliquez la façon «terrestre» dont vous réagissez. Commencez les phrases par *Si.*

MODELE: Si les tranches de beefsteak sont trop dures, nous dirons que nous sommes tous végétariens.

1. _____

2. _____

3. _____

4. _____

5. _____

D. Conversation avec Méthusalem. Vous souvenez-vous de Méthusalem, le personnage biblique qui a vécu 969 ans? Imaginez qu'il soit revenu sur terre et commence à poser des questions sur le troisième âge d'aujourd'hui. Ecrivez vos réponses.

METHUSALEM: D'abord la retraite. Qu'est-ce que c'est? Et vous? A quel âge pensez-vous prendre la retraite? Qu'est-ce que vous ferez après?

_____

_____

_____

METHUSALEM: Ce qui m'étonne, c'est que la plupart des gens du troisième âge sont en très bonne santé. Comment ça se fait? Qu'est-ce qui a changé depuis mon temps?

_____

_____

_____

METHUSALEM: A mon époque, on craignait la vieillesse... ou bien on l'admirait. Selon vous, comment la vieillesse aura-t-elle changé en l'an 2000?

_____

_____

_____

E. L'avenir—proche et lointain. Il y a plusieurs façons de définir l'avenir: demain, l'année prochaine, l'an 2000, etc. Répondez aux questions suivantes en imaginant divers moments de votre avenir.

1. Qu'est-ce que vous allez faire demain que vous n'avez pas fait aujourd'hui? _____

_____

2. Où habiterez-vous l'année prochaine? _____

_____

3. Dans vingt ans, quel mode de transport est-ce que vous utiliserez le plus souvent? _____

_____

4. En l'an 2000, où passerez-vous vos vacances? _____

_____

5. A partir de quel âge comptez-vous prendre votre retraite? _____

_____

F. Votre avenir, le voyez-vous en rose? Pour répondre, imaginez-vous en l'an 2000 et faites un bilan de votre vie à ce moment-là. Décrivez ce que vous aurez déjà fait (utilisez le futur antérieur) et ce que vous serez en train de faire (utilisez le futur simple). Utilisez votre imagination de visionnaire.

MODELE:　En l'an 2000, j'aurai déjà reçu deux diplômes universitaires et je travaillerai dans une banque en France.

_____

_____

_____

_____

_____

_____

_____

_____

_____

G. Et l'avenir de la terre. Vous avez déjà réfléchi sur les problèmes qui existent dans le monde contemporain. Maintenant, laissez-vous transporter en l'an 2000. Quels nouveaux problèmes existeront? Comment les habitants de la terre affronteront-ils ces nouveaux dangers?

_____

_____

_____

_____

_____

_____

_____

_____

_____

Chapitre 9

EXERCICES ORAUX

A l'écoute de la vie

AVANT D'ECOUTER

A. Etude de mots. Associez par la logique chaque mot de la colonne de gauche avec un mot de la colonne de droite.

1. _____ HEC		a.	examen compétitif
2. _____ «histoire-géo»		b.	parties orales d'un examen
3. _____ un concours		c.	les grandes écoles
4. _____ des oraux		d.	des matières
5. _____ un diplôme de troisième cycle		e.	une classe préparatoire
6. _____ «prépa»		f.	le commerce international
7. _____ un dossier académique		g.	un doctorat
8. _____ l'import-export		h.	collection de papiers administratifs et scolaires

B. Toujours par la logique, sachant que les mots de l'exercice précédent sont contenus dans la séquence sonore que vous allez écouter, pouvez-vous en déduire le sujet?

☐ la situation des ingénieurs en France

☐ les études supérieures de commerce

☐ la formation professionnelle des médecins

A L'ECOUTE

A. Ecoutez une première fois et numérotez les idées suivantes de 1 à 5 selon l'ordre chronologique dans lequel elles sont présentées.

_____ préparation des concours

_____ description des prépas

_____ choix d'une école supérieure

_____ avantages d'avoir des diplômes supplémentaires

_____ objectifs professionnels de Florence

B. Ecoutez encore une ou deux fois et indiquez si les phrases sont vraies (V) ou fausses (F).

V   F

☐ ☐ 1. La sélection pour entrer en classe préparatoire est faite sur dossier.

☐ ☐ 2. On passe un minimum de deux ans en classe préparatoire.

☐ ☐ 3. Il n'y a que des matières scientifiques au programme d'études de la classe préparatoire décrite ici.

☐ ☐ 4. Les étudiants n'ont pas souvent l'occasion de se préparer aux oraux des examens.

☐ ☐ 5. L'Institut Supérieur de Gestion est une école privée.

☐ ☐ 6. Les diplômés des écoles supérieures de commerce n'ont pas peur du chômage.

☐ ☐ 7. Les salaires de base commencent à plus de 150 000 francs par an.

☐ ☐ 8. Les «jeunes loups» (*wolves*) sont les jeunes diplômés agressifs.

C. Ecoutez encore et résumez.

1. Le programme d'études des prépas HEC (matières étudiées, heures de cours par semaine, autres activités régulières, durée de l'année scolaire, activités de fin d'année, etc.)

_____

_____

_____

_____

_____

2. Les écoles supérieures de commerce (durée des études, nature du diplôme, options supplémentaires)

_____

_____

_____

3. Les avantages d'avoir des diplômes supplémentaires

_____

_____

4. Les plans de Florence

_____

_____

_____

A vous la parole

PHONETIQUE

Intonation in Declarative Sentences

In this lesson, you are going to learn an intonation pattern used in declarative sentences. It combines a rising intonation followed by a falling intonation.

In American English, there is a falling intonation to mark the end of each phrase of a declarative sentence. Listen to the intonation pattern as you say the following sentence.

At the end of the day, when I'm tired and hungry, I'm glad to have a microwave.

In French, however, each phrase of a statement is marked by a rising intonation, except the final phrase, where the intonation rises and then falls. The basic subjunctive structure provides a good opportunity to practice this common intonation pattern in French.

Now turn on the tape and listen to the following sample sentence. Mark the rising and falling intonation.

Dans la France des années 80, dans cette France en crise, les étudiants exigent

que leurs études offrent des débouchés.

A. La femme au travail. Les phrases suivantes présentent des observations sur la condition féminine dans le monde du travail. Ecoutez-les, puis lisez-les à haute voix en faisant attention à l'intonation.

1. De nos jours, j'ai bien peur que les femmes soient souvent désavantagées.
2. Il faut absolument que les lois garantissent un salaire égal pour un travail égal.
3. Il vaut mieux que les attitudes des conservateurs changent.
4. Avant que les femmes puissent accéder aux postes de direction, il faut que les préjugés disparaissent.

B. Etes-vous machiste ou émancipé(e)? Vous allez entendre des commentaires sur la condition des femmes dans le monde du travail. Commentez-les en vous servant de l'expression entre parenthèses. Attention à l'intonation montante-descendante de vos phrases. (Vous entendrez ensuite une des réponses possibles.)

MODELE: (Je ne pense pas)
Vous entendez: Les femmes doivent rester au foyer.
Vous répondez: Je ne pense pas que les femmes doivent rester au foyer.

1. (Il est possible)
2. (J'ai peur)
3. (Je regrette)

4. (Il vaut mieux)
5. (Il est temps)

PAROLES ET STRUCTURES

A. Les jeunes Français et l'école. Vous allez entendre des Français qui décrivent brièvement leurs activités scolaires. Après avoir entendu chaque discours, vous devrez répondre à une question sur le genre ou le lieu de leurs études. Réponses possibles: *un doctorat, le baccalauréat, une grande école, un collège d'enseignement technique.*

1. ...   2. ...   3. ...   4. ...

B. Vos études. En tant qu'étudiant(e) à l'université, vous avez l'occasion de choisir des cours très variés qui correspondent à de nombreuses branches d'études. Vous allez entendre le nom de quelques-unes de ces branches d'études. Composez une phrase au sujet de chacune des branches, où vous décrivez votre situation personnelle.

MODELE: *Vous entendez:* le droit
               Vous répondez: Je n'ai jamais suivi de cours de droit.
               Ou bien: Je veux suivre un cours de droit.
               Ou bien: Il faut suivre un cours de droit.

1. ...   2. ...   3. ...   4. ...   5. ...

C. Les CSP, vous connaissez? Les sociologues français font des recherches sur les différentes catégories socio-professionnelles (les CSP). Ecoutez les personnes se présenter et répétez leur profession en leur attribuant une catégorie socio-professionnelle. Catégories: *les professions libérales, les cadres supérieurs, les cadres moyens.*

MODELE: *Vous entendez:* Je m'appelle Richard Duplessis et je travaille comme ingénieur.
               Vous répondez: Un ingénieur est un cadre supérieur.

1. ...   2. ...   3. ...   4. ...   5. ...

D. Pauvre Sylvie! Pauvre de vous! Vous souvenez-vous de Sylvie, la lycéenne en terminale? Imaginez que vous êtes un(e) camarade de classe de Sylvie et modifiez les phrases suivantes selon le modèle.

MODELE: *Vous entendez:* Sylvie travaille sérieusement cette année.
               Vous répondez: Moi aussi, il faut que je travaille sérieusement cette année.

1. ...   2. ...   3. ...   4. ...

E. Etes-vous d'accord? Votre copain Daniel vous donne ses opinions sur certaines branches d'études universitaires. A vous de répondre en exprimant votre opinion. Attention à l'emploi de l'indicatif et du subjonctif. (Vous entendrez ensuite la réponse affirmative.)

MODELE: *Vous entendez:* Je ne pense pas que les cours de gestion *soient* très importants.
               Vous répondez: Moi non plus, je ne pense pas qu'ils *soient* très importants.
               Ou bien: Moi, je pense qu'ils *sont* très importants.

1. ...   2. ...   3. ...   4. ...

F. Toi et moi. Ecoutez les activités suivantes, puis composez deux phrases, l'une pour votre copine Gilberte, l'autre pour vous.

MODELE: *Vous entendez:* aller à la bibliothèque
               Vous répondez: Je veux que tu ailles à la bibliothèque. Moi aussi, je veux aller à la bibliothèque.

1. ...   2. ...   3. ...   4. ...

G. Les émotions de la semaine. Quelles émotions ressentez-vous cette semaine? Répondez à chacune des questions par écrit. Variez la structure de vos réponses.

> MODELE: *Vous entendez:* Etes-vous triste cette semaine?
> *Vous écrivez:* Oui, je suis triste d'avoir tant de devoirs.

1. _____

_____

2. _____

_____

3. _____

_____

4. _____

_____

5. _____

_____

H. L'embarras du choix! Arrêtez la cassette pour lire le graphique ci-après. Ensuite, on va vous présenter quelques faits. A vous de composer des phrases afin de préciser ce qu'il vaut mieux faire dans ces cas-là.

> MODELE: *Vous entendez:* Vous décidez d'entrer dans le commerce.
> *Vous répondez:* Il vaut mieux que je fasse des études de gestion maintenant.

1. ...   2. ...   3. ...   4. ...

Où seront les postes en 1991 (Par activités)

1985		1991	
		1 500	+ 67 %
		3 800	+ 52 %
		3 900	+ 30 %
900	TOURISME, LOISIRS		
2 500	SANTÉ, ACTION SOCIALE	3 500	+ 17 %
3 000	TRANSPORTS	2 300	+ 15 %
3 000	BÂTIMENT, TRAVAUX PUBLICS	5 300	+ 15 %
2 000	ARMEMENTS, AÉRONAUTIQUE	1 600	+ 14 %
4 600	ÉLECTRONIQUE, INFORMATIQUE	3 300	+ 14 %
1 400	TEXTILE, BOIS, CARTONS	4 500	+ 10 %
2 900	AGRO-ALIMENTAIRE	5 100	+ 9 %
4 100	COMMERCE, DISTRIBUTION	1 300	+ 8 %
4 700	SOCIÉTÉS DE CONSEIL	2 600	+ 8 %
1 200	CHIMIE, PLASTIQUE	1 300	+ 8 %
2 400	PHARMACIE, PARACHIMIE	1 600	+ 7 %
1 200	ÉLECTROMÉNAGER, AMEUBLEMENT	5 400	+ 4 %
1 500	TRAVAIL DES MÉTAUX	400	+ 0 %
5 200	BANQUES, ASSURANCES	1 800	+ 0 %
400	HABILLEMENT, CHAUSSURE	1 900	+ 0 %
1 800	ENERGIE	2 800	− 7 %
1 900	VERRE, CÉRAMIQUE	1 600	− 11 %
3 000	SIDÉRURGIE, CONSTRUCTION NAVALE		
1 800	AUTOMOBILE		

Dictée

Vous entendrez la dictée deux fois. La première fois, écoutez. La deuxième fois, écrivez. Ensuite, réécoutez le premier enregistrement pour corriger.

POLYTECHNIQUE

_____

_____

_____

_____

_____

_____

_____

_____

_____

_____

EXERCICES ECRITS

Paroles

A. **Les diplômes français.** Une façon de se reconnaître dans le système de l'enseignement français, c'est d'apprendre les rapports entre les écoles et leurs diplômes. A côté de chaque type de diplôme, écrivez le nom de l'établissement scolaire où on le prépare. Référez-vous à la section **Paroles** de votre livre si nécessaire.

1. un brevet de technicien _____

2. un doctorat de sociologie _____

3. une maîtrise de lettres classiques _____

4. le baccalauréat _____

5. une licence d'histoire _____

6. un diplôme très prestigieux d'administration _____

_____

B. **Masculin, féminin.** Le vocabulaire de la langue française reflète certaines conceptions historiques sur les professions ouvertes aux femmes. Ainsi il existe une forme féminine pour certaines professions (instituteur/institutrice) mais pas pour d'autres (ingénieur). Inscrivez la forme féminine de ces professions, si elle existe.

médecin _____

chirurgien _____

professeur _____

infirmier _____

chercheur _____

technicien _____

administrateur _____

C. Les débouchés et les carrières. Très souvent les Français, comme les Américains, choisissent leur spécialisation à l'université en vue d'une carrière particulière. On vous demande maintenant de créer des phrases qui précisent les rapports entre les études supérieures et les professions. Essayez de varier les verbes et la structure de vos phrases.

MODELE: (gestionnaire) → Si vous voulez devenir gestionnaire, il vaut mieux que vous vous spécialisiez en sciences économiques ou en gestion à l'université.

1. (dentiste) _____

_____

_____

2. (professeur de français) _____

_____

_____

3. (avocat) _____

_____

4. (psychologue) _____

_____

_____

5. (architecte) _____

_____

_____

6. (chimiste) _____

_____

_____

D. Les études supérieures. Ecrivez un paragraphe où vous décrivez les études supérieures qui vous intéressent. Expliquez pourquoi vous avez choisi certaines branches d'études plutôt que d'autres. Y a-t-il un rapport entre vos études et la carrière que vous envisagez? Parlez-en, ou bien expliquez pourquoi ce rapport n'existe pas pour vous.

_____

_____

_____

_____

_____

_____

_____

_____

_____

E. Comment réussir? CBI est une école d'enseignement supérieur privée. Vous êtes chargé(e) de conseiller un jeune Français (une jeune Française) qui vient au CBI pour préparer un diplôme en vue d'une carrière aux Etats-Unis. Notez les conseils que vous voulez lui donner:

1. sur les avantages d'un certain département (à vous de choisir lequel)
2. sur le nombre d'années d'études que vous recommandez
3. sur le type de stage à chercher
4. sur un prolongement possible dans une université américaine

_____

_____

_____

_____

_____

_____

_____

_____

_____

_____

Structures

A. L'ambition de Mireille. Finis les complexes! Mireille va se lancer: elle deviendra ingénieur. Voici une liste de ses objectifs. Composez des phrases complètes à partir de cette liste, selon le modèle. Attention à la forme (souvent irrégulière) du présent du subjonctif.

MODELE: (finir ses études d'abord) → Il faut que Mireille finisse ses études d'abord.

1. (être sûre de ses qualités de femme-ingénieur) _____

_____

2. (reconnaître les débouchés possibles) _____

_____

3. (aller parler avec d'autres femmes-ingénieurs) _____

_____

4. (avoir de la patience) _____

_____

5. (savoir poser des questions pertinentes) _____

_____

6. (savoir bien choisir une entreprise) _____

_____

7. (faire toujours de son mieux) _____

_____

B. Pour qu'il y ait égalité... Mireille va poser sa candidature pour un poste d'ingénieur dans plusieurs grandes sociétés françaises. Dans son C.V., elle a résumé ses qualifications mais elle veut aussi rédiger un petit paragraphe à l'intention des recruteurs pour leur faire connaître ses opinions. D'abord, elle met ses idées en ordre. Pouvez-vous l'aider à rédiger son paragraphe?

Sans participer au militarisme féministe, je crois que l'égalité professionnelle doit devenir une réalité

partout. Pour qu'il y ait cette égalité, il faut que _____

_____

Je regrette que _____

et je doute que _____

D'ailleurs, je ne pense pas que _____

_____

Il est temps que _____

_____ et même il est possible que _____

_____

Enfin, je préfère que _____

_____ et je voudrais que _____

_____

C. Une réponse possible à Mireille. Malheureusement, tous les hommes ne sont pas émancipés. Afin d'aider Mireille à mettre ses idées au clair, faites-vous l'avocat du diable. Pour cela, écrivez un petit paragraphe dans lequel vous utiliserez les structures suivantes pour affirmer votre attitude conservatrice. Attention aux deux sujets des phrases.

avant que	jusqu'à ce que	pour + *infinitif*
avant de	pour que	bien que

La profession d'ingénieur est traditionnellement réservée aux hommes. _____

_____

_____

_____

_____

_____

_____

_____

_____

D. Les diplômes et les professions. Référez-vous de nouveau à la page 99 du manuel. Imaginez que vous conseillez un groupe de lycéens de terminale au sujet de leur avenir professionnel.

1. Choisissez trois des professions qui vous semblent relativement sûres pour l'avenir.
2. Conseillez les jeunes sur la voie qu'il vaut mieux suivre.
3. Proposez-leur de différents débouchés à explorer.

MODELE: Je pense qu'une carrière dans le tourisme est une bonne idée. Pour se préparer à cette carrière, il vaudrait mieux que vous suiviez des cours de gestion et des cours de langues modernes. Il se peut que vous puissiez trouver de bons débouchés au niveau des agences de voyages.

_____

_____

_____

_____

_____

_____

_____

_____

_____

_____

_____

_____

_____

_____

_____

_____

E. Salaire égal à travail égal. Imaginez que vous êtes administrateur ou administratrice dans une grande société française. Deux employées viennent de vous signaler qu'elles ont des preuves que dans cette entreprise, on ne respecte pas la loi qui garantit un salaire égal pour un travail égal. Adressez une lettre au chef du personnel où vous réclamez plus de justice pour tous les employés. Suivez les règles de la correspondance française, expliquées à la page 193 de votre livre.

_____

_____

_____

_____

_____

_____

_____

Madame,

_____

_____

_____

_____

_____

_____

_____

_____

Croyez, Madame, à _____

_____

(votre signature)

● Thème IV

Chapitre 10

EXERCICES ORAUX

A l'écoute de la vie

AVANT D'ECOUTER

Etude de mots. Etudiez les phrases suivantes, pour déduire le sens des mots soulignés. Indiquez ensuite les synonymes.

1. Une voiture est venue nous <u>accrocher</u>; la portière est tout <u>enfoncée</u>.
2. C'était une route de montagne; d'un côté il y avait <u>des champs</u>, de l'autre <u>le ravin</u>.
3. On a <u>rattrapé</u> les criminels; ils sont à <u>la gendarmerie</u>.
4. Je me demande si, pendant <u>le procès</u>, l'avocat va leur recommander de tout <u>nier</u>.

1.	____ accrocher	a.	refuser d'admettre
2.	____ enfoncer	b.	trouver
3.	____ rattraper	c.	rentrer dedans
4.	____ nier	d.	écraser
5.	____ un champ	e.	un règlement en justice
6.	____ un ravin	f.	un morceau de terre cultivée
7.	____ la gendarmerie	g.	le poste de police
8.	____ un procès	h.	un grand trou

A L'ECOUTE

A. Ecoutez une première fois et indiquez si ces phrases sont vraies (V) ou fausses (F).

V   F

☐ ☐ 1. L'accident que le monsieur raconte est le seul accident qu'il ait eu.

☐ ☐ 2. Il conduisait une voiture ordinaire.

☐ ☐ 3. L'autre voiture allait très vite.

☐ ☐ 4. Un des passagers de l'autre voiture est mort.

☐ ☐ 5. Le conducteur de l'autre voiture a essayé de s'échapper.

☐ ☐ 6. Il n'y avait pas de témoins (*witnesses*) à l'accident.

☐ ☐ 7. Le procès a eu lieu un an plus tard.

☐ ☐ 8. Le conducteur de l'autre voiture venait juste de passer son permis.

B. Le rapport de police. Ecoutez une ou deux autres fois et reconstituez l'accident pour la police. Répondez aux questions comme si vous étiez le monsieur qui a eu l'accident.

1. Quel genre de véhicule conduisiez-vous?

_____

2. Où alliez-vous?

_____

3. D'où venait l'autre voiture?

_____

4. Pouvez-vous décrire l'accident même?

_____

_____

5. Y a-t-il eu des blessés?

_____

6. Dégâts matériels?

_____

7. Qu'est-ce que le conducteur de l'autre véhicule a fait après vous avoir accroché?

_____

_____

8. Combien de passagers y avait-il dans l'autre véhicule?

_____

9. Qu'est-ce qui vous fait croire que l'autre véhicule était volé?

_____

10. Est-ce que vous avez des témoins?

_____

C. Ecoutez encore si vous en avez besoin et résumez les problèmes du conducteur de l'autre voiture.

1. _____

2. _____

3. _____

A vous la parole

PHONETIQUE

The vowels [e] and [ε]

The two vowel sounds [e] as in **été** and [ε] as in **très** are pronounced in much the same way. To pronounce [ε] as in **très,** however, the jaw is opened more. To pronounce [e] as in **été,** the lips are extended as if you were smiling.

In Chapter 10, you have been working with the **passé composé** and the **imparfait.** Note that the [e] sound appears in the past participle of all **-er** verbs (**parlé**) and that the [ε] sound is used in many **imparfait** endings (**-ais, -ait, -aient**).

Now turn on the tape. Listen to the following pairs of words, and repeat them after the speaker.

[e]	/ε/
les	lait
mes	mais
dîné	dînais
allé	allaient

A. Passé composé ou imparfait? Vous allez entendre des verbes conjugués au passé composé (pc) ou à l'imparfait (imp). Encerclez le temps de chaque verbe.

1. pc   imp   5. pc   imp

2. pc   imp   6. pc   imp

3. pc   imp   7. pc   imp

4. pc   imp   8. pc   imp

B. Vous autres automobilistes. Vos amis parlent de leur manière de conduire. Ecoutez les phrases suivantes, puis transformez les verbes deux fois, d'abord au passé composé, puis à l'imparfait. Attention aussi aux deux voyelles [e] et [ε].

MODELE: *Vous entendez:* Je parle français.
         Vous répondez: J'ai parlé français. Je parlais français.

1. ...   2. ...   3. ...   4. ...   5. ...

PAROLES ET STRUCTURES

A. Auto-test I. Vous allez entendre les mini-descriptions de certaines parties d'une voiture. Ecoutez bien, puis identifiez chaque partie. Possibilités: *le coffre, le capot, le frein, la portière, le clignotant, le rétroviseur, l'embrayage.*

MODELE: *Vous entendez:* On s'en sert pour changer de vitesse.
         Vous répondez: C'est l'embrayage.

1. ...   2. ...   3. ...   4. ...   5. ...   6. ...

B. Auto-test II. Pour la suite de votre auto-test, répondez aux questions en regardant le dessin ci-dessous. (Vous entendrez ensuite une des réponses possibles.)

1. ...   2. ...   3. ...   4. ...

C. Attention aux feux! Regardez cette affiche publicitaire. Imaginez que vous prenez des leçons à l'auto-école et que votre moniteur vous pose des questions sur la signification des couleurs des feux. Répondez à ses questions.

1. ...   2. ...   3. ...

D. Votre véhicule. Avez-vous votre propre véhicule? Sinon, vous avez sans doute accès à celui de quelqu'un. Répondez aux questions que vous allez entendre deux fois. (Il y a plusieurs réponses possibles.)

1. ...   2. ...   3. ...   4. ...   5. ...

E. Un accident. Vous venez d'être témoin (*witness*) d'un accident: une berline est entrée en collision avec une camionnette. Un gendarme est en train de vous poser des questions. Répondez affirmativement à toutes les questions en utilisant le temps du verbe de la question (passé composé ou imparfait).

1. ...   2. ...   3. ...   4. ...   5. ...

F. Juste avant! Vous allez entendre deux fois des phrases qui décrivent les intentions d'Annette. Complétez-les avec *allait* et le verbe entre parenthèses, selon le modèle.

MODELE: (freiner) →
              Vous entendez: Le feu est passé au vert.
              Vous répondez: Annette allait freiner quand le feu est passé au vert.

1. (changer de vitesse)　　　　　　　　　3. (mettre le clignotant)
2. (accélérer)　　　　　　　　　　　　　　4. (faire demi-tour)

G. Juste après! Continuez à parler de l'aventure d'Annette. Ecoutez deux fois les phrases suivantes et complétez-les selon le modèle.

MODELE: (mettre le clignotant) →
              Vous entendez: Elle a tourné à gauche.
              Vous répondez: Annette venait de mettre le clignotant quand elle a tourné à gauche.

1. (passer en seconde)　　　　　　　　　3. (se garer)
2. (accélérer)

H. Votre première voiture. Nous avons tous des souvenirs de notre première voiture. Une de vos copines, amatrice d'autos, vous pose des questions sur votre première voiture (ou celle de votre famille). Répondez à ses questions par écrit.

1. _____
    _____
2. _____
    _____
3. _____
    _____
4. _____
    _____
5. _____
    _____

Dictée

Vous entendrez la dictée deux fois. La première fois, écoutez. La deuxième fois, écrivez. Ensuite, réécoutez le premier enregistrement pour corriger. A la fin, terminez le texte de façon personnelle.

_____

_____

_____

_____

_____

_____

_____

_____

_____

_____

EXERCICES ECRITS

Paroles

A. Ennuis de trajet. Hier, tout allait mal. Vous avez eu des tas d'ennuis sur la route. Lisez les mini-descriptions suivantes, puis identifiez la cause de l'ennui.

MODELE: Il fallait vous arrêter pour donner aux piétons le temps de traverser la rue. __un passage-piéton__

1. Il était huit heures du matin et tout le monde se rendait au travail ou à l'école en même temps.

    _____

2. Vous ne deviez pas dépasser les 60 km/h. _____

3. Il y avait tant de voitures au grand carrefour que personne ne pouvait avancer.

    _____

4. Vous ne pouviez pas entrer dans une certaine rue parce que l'accès était interdit. Tous les

    automobilistes allaient dans le sens inverse. _____

5. Il fallait vous arrêter à chaque coin de rue pendant deux kilomètres: vous «voyiez rouge» partout.

    _____

6. Le moteur s'est arrêté en route; il n'y avait plus d'essence. _____

7. Plus loin, il a fallu sortir la roue de secours. _____

8. Enfin, un agent de police vous a arrêté pour excès de vitesse. _____

B. A quoi servent tous ces trucs? Voici le schéma d'une voiture avec certaines parties numérotées. A vous d'identifier toutes ces parties et d'attribuer une fonction à chacune d'entre elles.

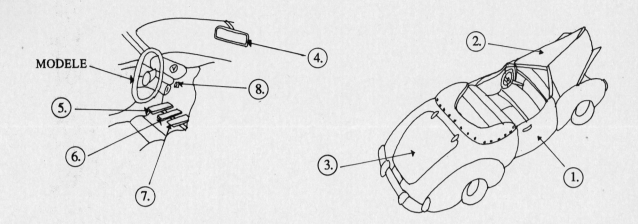

MODELE: Le volant sert à guider la voiture. On utilise le volant aussi pour tourner à droite ou à
          gauche.

1. _____

_____

2. _____

_____

3. _____

_____

4. _____

_____

5. _____

_____

6. _____

_____

7. _____

_____

8. _____

_____

C. Quel véhicule préférez-vous? Imaginez que vous êtes en France et que vous allez louer une voiture. Vous avez pris rendez-vous à l'agence de Key Services International (voir la page 209 de votre livre). A l'agence, un employé vous demande de remplir le formulaire ci-dessous pour préciser vos besoins.

KEY SERVICES INTERNATIONAL
Contrôle client

Chers clients:

Nous vous prions de bien vouloir indiquer vos besoins et vos préférences pour que nous puissions mieux vous servir.

1. Le modèle de véhicule voulu et éventuellement la raison du choix: _____

    _____

    _____

    _____

2. Le genre de route que vous allez fréquenter; problèmes de circulation anticipés: _____

    _____

    _____

    _____

3. Selon le but de votre voyage, les parties de la voiture qui sont de première importance (coffre, nombre de portières, conduite gauche/droite, etc.): _____

    _____

    _____

    _____

4. Accessoires indispensables: _____

    _____

    _____

    _____

5. Divers: _____

    _____

    _____

    _____

D. Des questions épineuses! Imaginez que vous allez acheter d'occasion la voiture d'un particulier. Créez une liste de questions à lui poser. Puisque vous voulez surtout savoir «l'histoire» de la voiture, vos questions seront formulées au passé composé et à l'imparfait.

1. _____

   _____

2. _____

   _____

3. _____

   _____

4. _____

   _____

5. _____

   _____

6. _____

   _____

E. Auto-test III. Utilisez un élément de chaque colonne pour construire des phrases qui révèlent vos connaissances des véhicules. Variez la structure de vos phrases et ajoutez d'autres mots si nécessaire.

l'embrayage	être	inspecter le moteur
le rétroviseur	servir à	la roue de secours
une pédale	avoir	une camionnette
le siège arrière	ouvrir	changer de vitesse
le capot	se trouver	voir derrière le véhicule
	utiliser	

1. _____

   _____

2. _____

   _____

3. _____

   _____

4. _____

   _____

5. _____

   _____

6. _____

_____

Structures

A. Un voyage à Québec. Deux de vos camarades de classe, Robert et Daniel, viennent de passer un week-end à Québec. Daniel est en train d'écrire une lettre à ses parents dans laquelle il décrit son voyage. Aidez-le à compléter sa lettre en mettant les verbes à la place et à la forme correcte. Utilisez le passé composé ou l'imparfait. (Vous pouvez utiliser le même verbe plusieurs fois.)

Chère Maman, cher Papa,

Nous _____1 vendredi matin vers 8h30. Le

ciel _____2 couvert mais il ne

_____3 pas encore. Pourtant, à 10h30 il

_____4 à pleuvoir à verse et Robert, au volant,

_____5 de la peine à voir. En arrivant au Canada,

nous _____6 de prendre une petite route à deux

voies plutôt que l'autoroute. Elle _____7 très

pittoresque mais Robert _____8 faire très attention

à cause des virages. Nous _____9 depuis trois

heures quand je _____10 de prendre le volant mais

Robert ne _____11 lâcher son précieux volant.

avoir
vouloir
conduire
proposer
être
pleuvoir
choisir
partir
commencer
devoir

Vers midi et demi, nous _____12 pour

déjeuner dans un petit restaurant. Il _____13

encore mais de notre table, nous _____14

contempler un très joli panorama. Après le déjeuner, nous

_____15 le plein et _____.16

faire
repartir
pouvoir
s'arrêter

Une heure plus tard, je _____17 que Robert

_____18 très fatigué parce que cela

_____19 plus de cinq heures qu'il

_____.20 Encore une fois, je lui

_____21 de prendre le volant et encore une fois, il

ne _____22 pas. Je _____23

renoncer à mon idée.

proposer
vouloir
être
devoir
conduire
savoir
faire

Enfin, nous _____24 à Québec.

Malheureusement, c'_____25 aux heures de pointe

et il y _____26 un embouteillage monstre en

entrant dans la vieille ville. Pourtant nous _____27

beaucoup de chance parce que nous _____28

trouver notre hôtel sans difficulté.

avoir
arriver
pouvoir
être

Les détails de notre visite suivront.

Votre fils qui vous embrasse,

Daniel

B. **Travail de détective.** Jouez le rôle d'un détective et faites une enquête sur un accident de la route. Une camionnette est entrée en collision avec une Mercédès toute neuve. Formulez huit questions (au passé) à poser aux automobilistes et aux témoins afin de découvrir la véritable cause de l'accident et l'identité de l'automobiliste responsable.

1. _____

   _____

2. _____

   _____

3. _____

   _____

4. _____

   _____

5. _____

_____

6. _____

_____

7. _____

_____

8. _____

_____

C. **Le rapport de l'accident.** A partir des questions que vous avez posées dans l'exercice précédent et des réponses que vous voulez imaginer, faites un dessin qui démontre ce qui s'est passé. Ensuite, écrivez un paragraphe où vous présentez votre meilleure analyse de cet accident. Tenez compte des circonstances (imparfait) et des actions des conducteurs (passé composé).

_____

_____

_____

_____

_____

_____

_____

_____

_____

D. Un itinéraire habituel. Il existe sûrement une route que vous empruntez très souvent pour aller d'un lieu (la maison?) à un autre. Puisque vous connaissez très bien cette route, vous pouvez la décrire en détail. Ecrivez un compte-rendu de la dernière fois que vous avez suivi cet itinéraire.

1. Décrivez la route elle-même et la circulation qu'il y avait ce jour-là.
2. En vous servant de quelques-uns des verbes suivants, expliquez en détail ce que vous avez fait pour arriver à votre destination.

freiner   doubler
faire demi-tour   mettre le clignotant
ralentir   tourner
accélérer   vous garer

_____

_____

_____

_____

_____

_____

_____

_____

_____

_____

E. Au secours. C'était le 19 mars 1989 et vous étiez sur la route dans une voiture louée. Tout à coup, vous êtes tombé(e) en panne, mais heureusement, vous avez tout de suite trouvé parmi les papiers de la voiture la vignette publicitaire ci-dessous.

Vous avez dû payer très cher l'assistance dépannage. Afin de vous faire rembourser par l'agence de location, vous écrivez une lettre officielle au directeur de l'agence où vous faites une description de tout ce qui s'est passé le 19 mars, y compris toutes les précisions sur le garage en question. Demandez gentiment mais fermement votre remboursement. Respectez la forme et les règles de la correspondance française. Consultez la page 193 de votre livre si nécessaire; utilisez une autre feuille de papier.

Chapitre 11

EXERCICES ORAUX

A l'écoute de la vie

AVANT D'ECOUTER

A. **Etude de mots.** Etudiez les mots suivants et leurs synonymes, puis complétez les phrases de façon convenable.

> rénover = remettre à neuf
> le revenu = l'argent qu'on gagne
> une subvention = aide financière du gouvernement
> les waters (*m.*) = les toilettes
> répertorier = classer par catégories
> diffuser = distribuer

1. Ce bâtiment est en ruines; il a besoin d'être _____.

2. Sans les _____ du gouvernement, le _____ des paysans

   serait insuffisant.

3. _____ sont souvent séparés de la salle de bains en France.

4. Les renseignements sont _____ dans un livre, puis _____

   dans plusieurs pays.

B. **Et vous?** Imaginez que vous êtes un paysan et que vous voulez transformer un de vos bâtiments de ferme en logement pour touristes. Quels problèmes allez-vous devoir surmonter?

_____

_____

_____

_____

_____

_____

_____

A L'ECOUTE

A. Lisez la liste de sujets ci-dessous, puis écoutez le texte une ou deux fois. Cochez les idées générales présentes dans le texte, puis organisez-les par ordre de présentation.

	OUI	NON	ORDRE	
1.	_____	_____	_____	normes d'hygiène et de confort des gîtes ruraux
2.	_____	_____	_____	misère générale des campagnes françaises
3.	_____	_____	1	nécessité de rénover les vieilles fermes
4.	_____	_____	_____	rôle du Ministère de l'Agriculture
5.	_____	_____	_____	rôle des offices de tourisme
6.	_____	_____	_____	régions où les gîtes ruraux sont les plus nombreux
7.	_____	_____	_____	loisirs associés avec les gîtes ruraux en montagne
8.	_____	_____	_____	clientèle des gîtes ruraux
9.	_____	_____	_____	prix de location des gîtes ruraux

B. Ecoutez encore et indiquez si ces phrases sont vraies (V) ou fausses (F).

V   F

☐ ☐ 1. L'opération «gîtes ruraux» a été lancée par le Ministère de l'Agriculture.

☐ ☐ 2. Les avantages de cette opération sont strictement esthétiques.

☐ ☐ 3. Pour avoir droit au label «gîte rural», il faut que le logement soit conforme aux normes du Ministère de l'Agriculture.

☐ ☐ 4. Les offices de tourisme sont responsables des inspections des gîtes ruraux.

☐ ☐ 5. Les touristes peuvent obtenir des descriptifs complets des gîtes ruraux dans les offices de tourisme.

☐ ☐ 6. Les gîtes ruraux peuvent se louer pour un week-end seulement.

☐ ☐ 7. Pour louer un gîte rural pour un mois, il faut compter environ 2 000F.

☐ ☐ 8. La formule des gîtes ruraux intéresse particulièrement les touristes allemands.

C. Ecoutez une dernière fois et résumez.

1. Les normes de confort et d'hygiène des gîtes ruraux

   _____

   _____

   _____

2. Le rôle du Ministère de l'Agriculture

   _____

   _____

3. Les avantages du label officiel «gîte rural»

   _____

   _____

4. Les effets bénéfiques de l'opération gîtes ruraux pour les paysans

   _____

   _____

5. Le type de clientèle intéressée par les gîtes ruraux

   _____

   _____

A vous la parole

PHONETIQUE

Rhythm and Accent

In spoken French, all the syllables of an utterance are spoken at essentially the same speed and with the same amount of stress. Think of a metronome whose beats are steady in rhythm and even in accent.

By contrast, English speakers emphasize certain syllables of words. No matter how they are used, English words keep the same accent: *personal´ity* ≠ *epit´ome,* for example.

Since French verbs conjugated in the *plus-que-parfait* always contain several syllables, your study of this tense offers a good opportunity to practice rhythm and accent. Now turn on the tape and listen to the following contrasts between English and French.

FRENCH	AMERICAN ENGLISH
responsabilité	responsibility
le Mississippi	the Mississippi
Votre réponse est bonne!	You have the right answer!
Il n'avait rien fait la veille.	He had done nothing the day before.

A. A la mer. Voici une description des vacances au bord de la mer. Ecoutez les phrases, puis répétez-les en faisant attention au rythme et à l'accent.

1. Je m'étais baigné.
2. Avais-tu pris un bain de soleil?
3. Pierrot avait fait de la voile.

4. Elle n'avait pas eu le mal de mer.
5. Nous avions pris le bateau.
6. Aviez-vous fait du ski nautique?

B. Vivent les contraires! Votre copine Marianne est méticuleuse. Avant de partir en vacances, elle avait tout arrangé. Vous, au contraire, vous êtes parti(e) sur un coup de tête (*impulsively*). Répondez aux questions suivantes—affirmativement pour Marianne et négativement pour vous—en faisant attention au rythme et à l'accent.

MODELE: a.   *Vous entendez:* Avant de partir, est-ce que Marianne avait consulté des cartes touristiques?
         Vous répondez: Bien sûr qu'elle avait consulté des cartes touristiques.

          b.   *Vous entendez:* Et vous?
         Vous répondez: Mais non, je n'avais pas consulté de cartes touristiques.

1. ...   2. ...   3. ...

PAROLES ET STRUCTURES

A. La famille Chartier en vacances. Regardez bien tous les articles que M. Chartier vient de décharger. Attribuez-les aux divers membres de la famille selon le modèle.

MODELE: *Vous entendez:* Monsieur Chartier veut aller à la pêche.
         Vous répondez: Alors c'est lui qui a mis la canne à pêche.

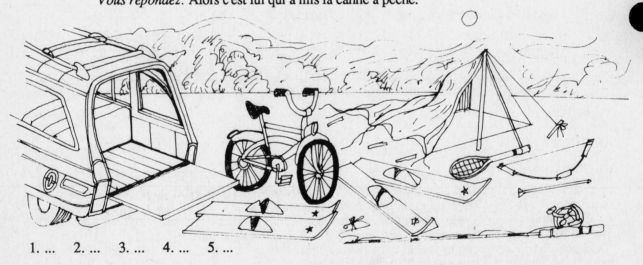

1. ...   2. ...   3. ...   4. ...   5. ...

B. Scène de vacances. En plus de leurs activités individuelles, les membres de la famille Chartier ont passé beaucoup de temps ensemble à la plage. Regardez le dessin et décrivez les activités de chaque personne. (Répétez la réponse modèle.)

MODELE: *Vous entendez:* Grand-père
Vous répondez: Grand-père ramasse des coquillages.

Grand-père et Madame Chartier

Martine et Richard

Pierre

Daniel

Monsieur Chartier

1. ...   2. ...   3. ...   4. ...   5. ...

C. Votre dernière visite à la plage. Votre camarade Paul vous pose des questions sur votre plage préférée. Il veut aussi savoir ce que vous avez fait la dernière fois que vous y êtes allé(e). Répondez à ses questions par écrit en respectant le temps des verbes.

1. _____

2. _____

3. _____

4. _____

D. Toutes sortes de vacances! Des camarades de classe décrivent leurs vacances d'été en une phrase. Ecoutez attentivement, puis dites ce qu'ils étaient partis faire. Suggestions: *de l'alpinisme, du tennis, du camping, du cyclisme, de l'équitation.*

MODELE: *Vous entendez:* J'ai navigué sur l'océan.
Vous répondez: Tu étais parti faire du bateau.

1. ...   2. ...   3. ...   4. ...   5. ...

E. «Tonton» est un peu dur d'oreille. Votre cousin Nicolas vous raconte la première journée de ses vacances d'hiver. Votre vieil oncle, qui n'entend plus très bien, vous demande de répéter ce qu'a dit Nicolas.

MODELE: *Vous entendez Nicolas qui dit:* Je suis parti vendredi soir.
Vous expliquez à Tonton: Nicolas a dit qu'il était parti vendredi soir.

1. ...   2. ...   3. ...   4. ...   5. ...

F. Des vacances partout! Six de vos camarades de classe vont vous dire ce qu'ils ont fait pendant leurs vacances. A vous de deviner où ils avaient passé leurs vacances. (Vous entendrez ensuite une des réponses possibles.)

MODELE: *Vous entendez:* J'ai fait de la chasse.
Vous répondez: Tu avais donc passé tes vacances à la campagne.

1. ...   2. ...   3. ...   4. ...   5. ...   6. ...

G. Les vacances de vos rêves. Imaginez que vous allez enfin passer des vacances rêvées. Répondez aux questions que vous entendrez deux fois.

1. ...   2. ...   3. ...   4. ...   5. ...

Dictée

Vous entendrez la dictée deux fois. La première fois, écoutez. La deuxième fois, écrivez. Puis réécoutez le premier enregistrement pour corriger. Ensuite, répondez à la question.

_____

_____

_____

_____

_____

_____

_____

_____

_____

Question: A votre avis, pourquoi sont-ils partis?

_____

_____

EXERCICES ECRITS

Paroles

A. Le retour de vacances. C'est la fin des vacances de printemps et vos copains viennent de rentrer. Devant votre résidence, il y a toutes sortes d'affaires empruntées que vous voulez rendre à leur propriétaire. Choisissez l'élément de la colonne de droite qui correspond aux vacances de chaque copain (copine) et formulez une phrase selon le modèle.

MODELE: Bernard / pêche   canne à pêche →
C'est sans doute Bernard qui a oublié la canne à pêche parce qu'il était allé à la pêche pendant les vacances.

Patrick / aller à la chasse	raquette
Monique / faire du ski	tente
Pierre et Jean-Paul / faire du camping	bâtons
Bertrand / faire du golf	arc
Martine / jouer au tennis	crosses
Nathalie / planche à voile	maillot de bain

1. _____

_____

2. _____

_____

3. _____

_____

4. _____

_____

5. _____

_____

6. _____

_____

B. Des vacances personnalisées. Choisissez cinq personnes que vous connaissez bien et proposez-leur de partir en vacances. Utilisez un élément (indiqué ou inventé) de chaque colonne. Faites preuve d'imagination mais tenez compte des préférences des personnes.

MODELE: Pour mon frère, je propose une semaine à la plage en été. Il peut faire de la voile.

PERSONNE	ENDROIT	MOMENT	ACTIVITE
?	à la campagne	en été	?
	à la mer	en automne	
	à la montagne	en hiver	
		au printemps	

1. _____

_____

2. _____

_____

3. _____

_____

4. _____

_____

5. _____

_____

C. Une journée à Val-d'Isère. Référez-vous à la publicité de la page 229 de votre livre. Imaginez que vous venez de passer à Val-d'Isère une journée pleine d'activités diverses. Choisissez-en cinq que vous avez beaucoup appréciées et composez des phrases qui décrivent la chronologie de vos activités.

MODELE: Tout de suite après mon arrivée, j'ai pris un sauna.

1. Après m'être installé(e) dans ma chambre, _____

_____

2. _____

_____

3. _____

_____

4. _____

_____

5. _____

_____

D. Vacances tunisiennes. Référez-vous à la publicité pour Djerba (**Paroles,** page 230). Ecrivez un petit mot (*note*) à votre meilleur ami (meilleure amie) afin de le/la convaincre d'y passer une semaine avec vous.

_____

_____

_____

_____

_____

_____

_____

_____

_____

_____

E. Vos loisirs. Ecrivez sept ou huit phrases où vous mettez en contraste les passe-temps que vous préférez maintenant et ceux que vous préfériez il y a dix ans. Pour chaque époque mentionnez deux ou trois activités.

1. Quand j'avais _____ ans, _____

_____

_____

_____

_____

_____

_____

_____

_____

_____

_____

Structures

A. Un séjour à Québec (suite). Voici la seconde lettre que Daniel adresse à ses parents. Encore une fois, c'est à vous de l'aider à la compléter en mettant les verbes à la place et à la forme correcte. Utilisez le passé composé, l'imparfait ou le plus-que-parfait. (Vous pouvez utiliser le même verbe plusieurs fois.)

New York, le 11 juillet

Chère Maman, cher Papa,

Voici l'autre lettre sur notre week-end à Québec que je vous

_____.[1] Quand nous _____[2]

samedi matin, le ciel _____[3] toujours couvert mais

il ne _____[4] plus. Cependant, quand nous

_____[5] de l'hôtel, il y _____[6]

des flaques d'eau (*puddles*) partout. Evidemment il

_____[7] toute la nuit.

sortir
promettre
pleuvoir
avoir
être
se réveiller

Nous _____8 un petit restaurant sympathique

où l'on _____9 toutes sortes de cafés. Robert

_____10 un cappuccino et moi,

j'_____11 un excellent café au lait. En sortant du

restaurant, quelle surprise!—le soleil _____.12

Nous _____13 de nous promener jusqu'à la

Terrasse Dufferin où nous _____14 le funiculaire.

Nous _____15 le prendre pour descendre à la ville

basse mais il y _____16 trop de monde qui

_____17 la queue et donc nous

_____18 d'idée tout de suite.

Après une belle promenade sur la Terrasse, nous

_____19 dans un petit café pour le déjeuner. Nous

_____20 nous asseoir sur la terrasse car il

_____21 relativement chaud. De la terrasse, nous

_____22 voir l'entrée du funiculaire où

miraculeusement, il n'y _____23 plus personne.

Nous _____24 pour y aller et nous

_____25 à la ville basse en moins d'une minute!

Nous _____26 l'après-midi à visiter des magasins

d'antiquités que les parents de Robert _____.27

Ces magasins _____28 très vieux et nous

_____29 beaucoup de meubles qui

_____30 des 17e et 18e siècles.

vouloir
servir
trouver
changer
trouver
briller
commander
faire
prendre
décider
avoir

passer
descendre
recommander
s'arrêter
avoir
se dépêcher
faire
voir
pouvoir
être
dater

Samedi soir nous _____ 31 très faim et

heureusement nous _____ 32 un excellent

restaurant qui _____ 33 des spécialités

québécoises. Tout _____ 34 délicieux! Ensuite, nous

_____ 35 dans une boîte de nuit où l'on

_____ 36 du jazz. Nous ne

_____ 37 pas _____ 38

longtemps parce qu'il y _____ 39 trop de monde et

parce qu'il _____ 40 nous lever très tôt le

lendemain pour repartir.

jouer
falloir
servir
avoir
trouver
être
aller
rester

Quel bon week-end! Nous voulons y retourner l'an prochain!

Votre fils qui vous embrasse,

Daniel

B. **Qu'est-ce qu'Hélène t'a dit?** Une de vos copines vient de rentrer d'une semaine de vacances sur la Côte d'Azur. Elle vous a téléphoné tout de suite pour vous parler de son séjour. A votre tour, vous allez le décrire à des cousins qui habitent à Nice. Passez donc du discours direct au discours indirect.

MODELE: «J'aime beaucoup la région.» → Hélène a dit qu'elle aimait beaucoup la région.

1.   «La mer était très belle et les plages étaient bondées (= pleines de gens).»

_____

_____

2.   «J'ai fait de la planche à voile deux ou trois fois.»

_____

_____

3.   «J'avais voulu ramasser des coquillages mais il n'y en avait pas.»

_____

_____

4.   «Toutes les spécialités culinaires viennent de la mer.»

_____

_____

5. «J'ai beaucoup aimé la bouillabaisse.»

_____

_____

6. «Il y avait des boîtes de nuit supers et même des casinos.»

_____

_____

7. «J'ai drôlement regretté de partir.»

_____

_____

C. **Les cartes postales sont aussi des scènes de France.** Vous souvenez-vous des cartes postales de David, et de Denise et Jean-Michel (pages 242-243 du livre)? Vous en avez déjà résumé le contenu mais il reste à décrire les deux photos. Composez un petit paragraphe au passé pour chaque photo. Décrivez chaque scène d'une manière aussi détaillée que possible.

La carte postale de David était une très belle photo de _____

_____

_____

_____

_____

En regardant la carte de Denise et Jean-Michel, j'ai découvert _____

_____

_____

_____

_____

D. **Des vacances sur mesure!** Vous travaillez dans une agence de voyages. Aujourd'hui vous avez rendez-vous avec M. et Mme Faré, deux nouveaux clients qui cherchent à passer des vacances originales. Ce sont de grands voyageurs qui ont déjà fait le tour du monde, mais cette année ils préfèrent rester en France.

L'enquête: Dressez une liste de huit questions à poser aux clients. Essayer de découvrir (1) le lieu et le type d'activités qu'ils préfèrent, (2) le genre de logement qui leur convient, (3) les vacances les plus mémorables qu'ils ont passées, (4) ce qu'ils veulent éviter.

1. _____

2. _____

3. _____

4. _____

5. _____

6. _____

7. _____

8. _____

La solution: Dans un premier temps, imaginez leurs réponses à vos questions. Ensuite, proposez-leur des activités de vacances idéales.

Leurs réponses

1. _____

2. _____

3. _____

4. _____

5. _____

6. _____

7. _____

8. _____

Votre solution

_____

_____

_____

E. **La nuit en fête.** En général, les étudiants aiment sortir le soir, mais il n'ont jamais assez de temps pour tout faire. Et vous? Racontez une soirée mémorable que vous avez passée récemment. Dans votre description, précisez (1) les vêtements que vous aviez mis avant de partir, (2) où vous êtes allé(e), quand, avec qui, (3) comment était l'endroit où se passait la soirée, (4) ce que vous avez fait d'intéressant, (5) pourquoi vous en gardez de si bons souvenirs.

_____

_____

_____

_____

Chapitre 12

EXERCICES ORAUX

A l'écoute de la vie

AVANT D'ECOUTER

Partir ou ne pas partir, voilà la question... Est-ce que vous avez jamais eu l'expérience d'un départ retardé, si bien que vous ne saviez plus quand vous alliez partir, ou même si vous alliez partir? Si oui, résumez brièvement cette expérience. Si non, imaginez plusieurs circonstances possibles pour un départ retardé.

_____

_____

_____

_____

_____

_____

_____

A L'ECOUTE

A. Ecoutez une première fois et indiquez si les sujets suivants sont mentionnés dans la séquence sonore.

OUI NON

☐ ☐ 1. plans des voyageurs en fonction de l'heure de départ de leur vol

☐ ☐ 2. confort des trains français

☐ ☐ 3. enregistrement des bagages à Roissy

☐ ☐ 4. comparaison des prix dans les boutiques hors-taxes et dans les autres magasins

☐ ☐ 5. cause du retard de l'avion

☐ ☐ 6. activités des voyageurs pendant l'attente

☐ ☐ 7. durée totale du retard

B. Ecoutez encore et reconstituez l'emploi du temps des voyageurs.

1. 6h05, mercredi matin _____

2. entre 6h05 et 10h/10h30 _____

3. 11h _____

4. 11h40 _____

5. 12h20 _____

6. 12h30 (approx.) _____

7. 12h30 à 19h _____

8. 19h _____

9. 23h _____

10. 7h, jeudi matin _____

11. 9h30 _____

C. Ecoutez et indiquez si ces phrases sont vraies (V) ou fausses (F).

V F

☐ ☐ 1. L'enregistrement des bagages a été plus rapide que d'habitude.

☐ ☐ 2. Pendant la longue attente dans le satellite de l'aérogare, les voyageurs avaient leurs bagages à main.

☐ ☐ 3. La cause du malfonctionnement mécanique a été découverte vers 11h du soir.

☐ ☐ 4. Les annonces de la compagnie aérienne étaient pleines de «sans doute».

☐ ☐ 5. Certains passagers ont trouvé des places sur d'autres vols.

☐ ☐ 6. La voyageuse qui parle n'a pas pu prévenir sa famille.

☐ ☐ 7. Les passagers n'ont finalement pas porté plainte contre la compagnie aérienne.

A vous la parole

PHONETIQUE

The Vowels [u] and [y]

To form the sound [u] as in **vous** and [y] as in **tu,** project your lips forward as if you were about to kiss someone. The sound [u] is basically pronounced like the English *oo* (for example, *do, to, clue*) but is a tenser vowel. For [y], the tip of the tongue is placed behind the lower front teeth, just as for the sound [i] (**si**). To produce the [y] sound, say [i], hold the tongue position, then round and project the lips forward (for example, **si / su, vie / vue, pile / pull**).

Turn on the tape and repeat the following pairs of words. Concentrate on the difference between the two sounds.

/u/		/y/
1.	tout	tu
2.	vous	vu
3.	pour	pur
4.	boule	bulle

Now listen again. This time, you will hear only one word of each pair. Circle the one that you hear.

A. **L'histoire d'un livre.** Répétez les phrases suivantes en faisant attention à la différence entre [u] et [y].

1. Vous avez vu le livre.
2. Vous l'avez parcouru.
3. Vous l'avez voulu.
4. Vous l'avez acheté.

5. Vous l'avez tout lu.
6. Il ne vous a pas plu.
7. Et vous l'avez vendu.

B. **La valise perdue.** Votre camarade Michel a perdu sa valise et il fait une liste de ce qu'elle contenait. Montrez votre étonnement (mêlé de compassion) selon le modèle. Faites attention à la prononciation des voyelles /u/ et /y/.

MODELE: *Vous entendez:* Il y avait mon nouveau short.
               Vous répondez: Ton nouveau short? Tu l'as perdu?

1. ...   2. ...   3. ...   4. ...   5. ...

PAROLES ET STRUCTURES

A. **Un voyageur exigeant.** Votre vieil oncle n'aime pas du tout voyager et donc il est très exigeant quand il doit partir. En tenant compte de ses exigences, proposez-lui une des solutions suivantes. Commencez vos phrases par *Prenez donc...*

l'avion
une réservation
un train direct
une place dans un compartiment Non Fumeurs

le T.G.V.
un billet de première classe
un billet aller et retour

MODELE: *Vous entendez:* J'aime les trains les plus rapides.
               Vous répondez: Prenez donc le T.G.V.

1. ...   2. ...   3. ...   4. ...   5. ...

B. **Un premier voyage.** A la différence du vieil oncle, c'est la première fois que votre copain Pierre voyage en France par le train. Il faut donc lui expliquer comment se débrouiller à la gare et puis aussi dans le train. Répondez à ses questions selon le modèle. Réponses possibles: *à l'entrée du quai, à la consigne, une correspondance, au guichet, au contrôleur, l'horaire.*

MODELE: *Vous entendez:* Où peut-on se renseigner?
               Vous répondez: On peut se renseigner au bureau de renseignements.

1. ...   2. ...   3. ...   4. ...   5. ...

C. Savez-vous voyager en français? Imaginez que vous êtes à Nice. L'annonce suivante vous concerne. Ecoutez-la une fois, puis écoutez les questions suivantes. Ensuite, réécoutez l'annonce et écrivez votre réponse à chaque question.

1. _____

2. _____

3. _____

4. _____

D. Suivons Sylvie! Regardez les scènes suivantes qui se passent dans une gare en France. A vous de répondre aux questions au sujet de la passagère, Sylvie. (Vous entendrez ensuite une des réponses possibles.)

1.

2.

3.

4.

5.

E. N'avez-vous rien oublié? Votre famille se prépare à partir en vacances. Votre frère et vous venez de charger (*load*) la voiture. Cependant votre père n'a pas très confiance en vous (comme d'habitude). Répondez à ses questions selon le modèle.

MODELE: *Vous entendez:* Avez-vous pris tout le linge?
           Vous répondez: Oui, Papa. Nous l'avons tout pris.

1. ...   2. ...   3. ...   4. ...   5. ...

F. Un voyage en avion. Une amie française, Madeleine, n'a pas beaucoup voyagé à l'étranger. Elle voudrait savoir comment se débrouiller dans un aéroport américain. Répondez à ses questions en utilisant un pronom objet direct ou indirect. (Répétez la réponse modèle.)

MODELE: *Vous entendez:* Est-ce qu'on doit prendre le billet à l'avance?
           Vous répondez: Oui, on doit le prendre à l'avance.
           Ou bien: Non, on n'est pas obligé de le prendre à l'avance.

1. ...   2. ...   3. ...   4. ...

G. La politesse, ça compte! Faites un choix parmi les structures proposées pour vous renseigner sur des points importants: *Est-ce que vous avez...; Je voudrais...; Pourriez-vous me dire...; Combien coûte...?*

MODELE: *Vous entendez:* un aller simple pour Tours
  Vous répondez: Je voudrais un aller simple pour Tours, s'il vous plaît.

1. ...   2. ...   3. ...   4. ...

Dictée

Vous entendrez la dictée deux fois. La première fois, écoutez. La deuxième fois, écrivez. Puis réécoutez le premier enregistrement pour corriger.

_____

_____

_____

_____

_____

_____

_____

_____

_____

EXERCICES ECRITS

Paroles

A. Les rencontres d'un voyageur. En train ou en avion, le voyageur rencontre plusieurs personnes—avant son départ, pendant le voyage, à l'arrivée. A côté des descriptions suivantes, inscrivez la profession de la personne décrite. Formulez aussi une question que vous pourriez poser à cette personne.

1. Cette personne contrôle le passeport et inspecte les bagages des voyageurs internationaux: _____

_____

Question: _____

2. Cette personne vous sert un repas à bord d'un avion (deux possibilités): _____

ou _____

Question: _____

3. Au cours du voyage, vous montrez votre billet de train à cette personne: _____

   Question: _____

B. Pour quoi faire? Composez des phrases qui expliquent pourquoi ou comment les choses suivantes sont utiles au voyageur.

   MODELE: (un horaire des trains) → Le voyageur le consulte pour vérifier l'heure de départ et l'heure d'arrivée des trains.

   1. (un composteur) _____
   _____

   2. (la consigne) _____
   _____

   3. (une agence de voyages) _____
   _____

   4. (une carte d'embarquement) _____
   _____

   5. (un passeport) _____
   _____

   6. (une ceinture de sécurité) _____
   _____

Name _____ Date _____ Class _____

C. Pouvez-vous déchiffrer tous ces symboles? Référez-vous à l'horaire des trains Paris-Grenoble ci-dessous. Pour chacun des symboles, composez deux phrases: une première phrase qui définit le service en question, et une deuxième phrase qui identifie un train dans lequel ce service est offert.

MODELE: (T.G.V.) → Le T.G.V. est un train à grande vitesse, le train le plus rapide du monde. Le train 731 Paris-Lyon-Grenoble est un T.G.V.

Numéro du train		8781	8567	4705	5703	4707	5705	651	5087	5247/6	731	605	609	5709	21	5099	8785	613	8575	607
Notes à consulter		1	1	2	3	4		5	6	7	8	9	10	11	12			13 X		14
Paris-Gare-de-Lyon	D						06.15			06.45	07.00	08.00		07.14			10.00		08.00
Dijon-Ville	D							06.43						08.52	09.07				
Chalon-sur-Saone	D							07.21							09.50				
Le Creusot-TGV	D					07.43					09.28								
Lyon-Part-Dieu	A						08.23	08.36		08.45	09.00	10.08		11.04			12.02		10.02
Lyon-Part-Dieu	D			07.03			08.25	08.38		08.48	09.02	10.10	10.18	11.06			12.08	12.15	10.04
Lyon-Perrache	A						08.33	08.45			09.10	10.18		11.13			12.15		10.12
Lyon-Perrache	D	05.27	06.00		07.27	08.05			09.00					11.42					
Bourgoin-Jallieu	A	06.02	06.38	07.27	08.07	08.33			09.36			10.43		12.15				12.49	
La Tour-du-Pin	A	06.17		07.38		08.44			09.47			10.53		12.27				13.01	
St-André-le-Gaz	A	06.25	06.32									11.00		12.34				13.08	
Le Grand-Lemps	A		06.50															13.31	
Rives	A		06.59										11.20					13.39	
Voiron	A		07.09	08.09		09.14							11.28					13.47	
Grenoble	A		07.34	08.25		09.32					09.55		11.44					14.06	

Tous les trains offrent des places assises en 1re et 2e cl. sauf indication contraire dans les notes. X Train n'offrant pas la totalité de ses prestations sur tout son parcours ou sur toute sa circulation.
Les trains circulant tous les jours ont leurs horaires indiqués en gras.

Notes :

1. Circule:tous les jours sauf les dim et fêtes.

2. Circule:jusqu'au 15 juil 86 : tous les jours sauf les sam, dim et fêtes;Circule du 21 juil au 25 août 86 : les lun;à partir du 26 août 86 : tous les jours sauf les sam et dim. 2°CL.

3. Circule:jusqu'au 28 juin 86 : tous les jours sauf les dim;Circule à partir du 29 juin 86 : tous les jours sauf les 31 août, 7, 14 et 21 sept 86.

4. Circule:tous les jours sauf les dim et fêtes. 2°CL.

5. Circule:jusqu'au 4 juil 86 et à partir du 1er sept 86 : tous les jours sauf les sam et dim. Conditions d'admission « Renseignez-vous ».A supplément certains jours. TGV . ◨1re CL. ☎.

6. Circule:tous les jours sauf les sam, dim et fêtes.

7. Jeune Voyageur Service.

8. Circule:tous les jours sauf les sam, dim et fêtes. A supplément. TGV . ◨1re CL. ☎. Facilités pour handicapés physiques.

9. Circule:les dim et fêtes sauf le 15 août 86. Ne prend pas de voyageurs à Lyon-Part-Dieu. TGV . ☎. Facilités pour handicapés physiques.

10. Circulation périodique,renseignez-vous.Conditions d'admission « Renseignez-vous ».A supplément certains jours. TGV . ◨1re CL certains jours.☎. Facilités pour handicapés physiques.

11. Circule:jusqu'au 6 juil 86 : les sam et dim;du 7 juil au 31 août 86 : tous les jours;à partir du 6 sept 86 : les sam et dim.

12. ▰.TGV . ◨1re CL.☎. Facilités pour handicapés physiques.

13. Ne prend pas de voyageurs à Lyon-Part-Dieu. TGV . ☎. Facilités pour handicapés physiques.

14. Circule:jusqu'au 4 juil 86 et à partir du 1er sept 86 : tous les jours sauf les sam et dim. Conditions d'admission « Renseignez-vous ».A supplément. TGV . ◨1re CL.☎.

Nota : A Paris-Gare-de-Lyon, l'office de tourisme de Paris assure un service d'information touristique et de réservation hotelière.

1. ✖ Voiture restaurant   4. 🛏 Voitures-Lits

2. ⊢ Couchettes   5. 🖒 Vente ambulante

3. ⊗ Grill-express   6. ◧ Restauration à la place

1. _____

_____

_____

2. _____

_____

_____

3. _____

_____

_____

4. _____

_____

_____

5. _____

_____

_____

6. _____

_____

_____

D. A la douane. Voici un petit dialogue qui pourrait avoir lieu à la douane de l'aéroport Charles de Gaulle, près de Paris. A vous de le compléter. Montrez par vos réponses que vous savez vous débrouiller à la douane.

LE DOUANIER: Bonjour. Votre passeport, s'il vous plaît. D'où arrivez-vous?

VOUS: _____

LE DOUANIER: Combien de temps pensez-vous rester en France? Quelle est la raison de votre visite?

VOUS: _____

_____

_____

LE DOUANIER: Qu'avez-vous à déclarer?

VOUS: _____

_____

LE DOUANIER: Merci, et bon séjour en France!

E. Attention au décollage. Imaginez que vous êtes moniteur (monitrice) d'un groupe de jeunes Français qui vont faire un voyage aux Etats-Unis. A cause de l'enthousiasme général et de l'âge des passagers, vous dressez une liste de ce qu'il faut faire—et ne pas faire—au moment du décollage. Faites preuve d'imagination en donnant autant d'exemples que possible. Mettez-les en deux catégories.

Il faut _____

_____

_____

_____

_____

Il ne faut pas _____

_____

_____

_____

_____

Structures

A. **Un voyage pas comme les autres.** Vous venez de faire un voyage à l'étranger avec votre petit cousin Serge. A l'arrivée, vous trouvez une lettre de votre tante où elle vous pose des questions sur le voyage. Répondez-lui (affirmativement ou négativement, selon votre choix) en utilisant les pronoms objets convenables. Attention à l'accord du participe passé.

1. As-tu enregistré *les bagages de Serge?*

_____

2. Serge a-t-il attaché *sa ceinture* avant le décollage?

_____

3. Avez-vous regardé *le film?*

_____

4. Serge a-t-il mangé tout *son dîner?*

_____

5. Serge a-t-il remercié *les hôtesses et les stewards* avant de descendre?

_____

6. Avez-vous trouvé tous *vos bagages* à l'arrivée?

_____

7. Serge a-t-il montré son passeport *à l'inspecteur?*

_____

8. Le douanier a-t-il inspecté *la grosse valise de Serge?*

_____

9. Veux-tu bien accompagner *Serge et sa sœur* en Afrique l'année prochaine?

_____

B . Une copine qui se renseigne. Votre copine Annette se prépare à partir pour la France. Puisque ce sera sa première visite et qu'elle pense faire plusieurs voyages en train, elle vous pose beaucoup de questions. Répondez-lui selon les modèles. Utilisez autant de pronoms que possible afin d'éviter des répétitions.

MODELES: a. Est-ce que je peux me renseigner dans une agence? →
Oui, c'est une bonne idée. (Oui, c'est obligatoire.) Renseigne-toi dans une agence.

b. Est-ce que je dois montrer mon passeport à l'employé pour acheter un billet? →
Non, tu n'es pas obligée de le lui montrer.

1. Est-ce que je dois consulter l'horaire pour vérifier l'heure de départ des trains?

_____

_____

2. Est-ce que je peux réserver ma place à l'avance?

_____

_____

3. Si j'arrive à la gare à l'avance, est-ce que je peux mettre mes bagages à la consigne?

_____

_____

4. Est-ce que je dois composter mon billet à l'entrée du quai?

_____

_____

5. Est-ce que je dois montrer mon billet au contrôleur?

_____

_____

6. Est-ce que je peux apporter mon déjeuner dans le train?

_____

_____

7. Est-ce que je dois montrer mon billet à l'inspecteur à la frontière?

Non, _____

_____

C. **Le pauvre papa.** La dernière fois que vous avez pris le train, il y avait beaucoup de monde et vous avez été obligé(e) de prendre une place dans un compartiment où se trouvait un jeune père et ses trois enfants. Imaginez cette scène (infernale, amusante, touchante... comme vous voulez), et racontez-la au passé en utilisant les expressions suivantes. Avant de les employer, il faudra les compléter avec la forme correcte de *tout*.

_____ les enfants   _____ à fait

_____ gentiment   _____ les valises

_____ excités   malgré _____

_____

_____

_____

_____

_____

_____

_____

D. **Le départ du petit Nicolas (suite).** Vous souvenez-vous du petit Nicolas et de sa mère inquiète? Voici des questions que pose la mère. A vous d'y répondre pour Nicolas—de façon originale. Utilisez des pronoms objets quand cela est possible.

1. Tu es sûr que tu as tout remis dans ta valise?

Oui maman, _____

2. Tu n'as pas oublié ton pull à manches longues?

_____

3. Et tes espadrilles?

_____

4. Et les billes de ton copain? Tu les lui as rendues?

_____

5. Alors, fais attention de ne pas les perdre! Oh tiens, tu n'as pas perdu l'adresse des grands-parents?

_____

E. Vive le changement! Imaginez que vous venez de faire un voyage en avion entre Paris et Rome. Pour l'aller, vous avez voyagé en classe économique, mais vous êtes revenu(e) en première classe. Ecrivez un paragraphe où vous précisez les différences les plus frappantes (*striking*) entre l'aller et le retour.

_____

_____

_____

_____

_____

_____

_____

_____

_____

_____

_____

Thème V

Chapitre 13

EXERCICES ORAUX

A l'écoute de la vie

AVANT D'ECOUTER

Si on vous demandait, aujourd'hui, de dire quels sont vos aliments préférés, qu'est-ce que vous diriez?

AU PETIT DEJEUNER   AUX REPAS

_____   hors-d'œuvre _____

_____   plat principal _____

_____   légume _____

                                       dessert _____

Maintenant, si la question s'appliquait à vos goûts lorsque vous étiez enfant, est-ce que les réponses seraient les mêmes?

AU PETIT DEJEUNER   AUX REPAS

_____   hors-d'œuvre _____

_____   plat principal _____

_____   légume _____

                                       dessert _____

L'interview que vous allez entendre va vous permettre de comparer vos réponses avec celles de trois enfants français.

A L'ECOUTE

A. Ecoutez le début de l'interview et donnez l'âge des trois enfants et ce qu'ils aiment manger au petit déjeuner.

	AGE	PETIT DEJEUNER
1. Marina	_____	_____
2. Samuel	_____	_____
		_____
3. Karine	_____	_____

B. Ecoutez le reste de l'interview et complétez le tableau suivant sur ce que les trois enfants aiment manger aux repas.

	Marina	Samuel	Karine
Hors-d'œuvre			
Plat principal		croissants fourrés	croque-monsieur
Légumes			
Dessert			

C. Ecoutez encore une fois et répondez.

1. Qu'est-ce que Karine ne digère pas? (digérer = *to digest*)

_____

2. Qu'est-ce que c'est qu'une salade composée? Donnez deux exemples.

_____

_____

_____

3. Qu'est-ce que les plats principaux mentionnés par Samuel et Karine ont en commun?

_____

D. Analysez les réponses des trois enfants français et comparez-les avec vos réponses à vous. Est-ce que certaines des différences sont des différences culturelles? Lesquelles?

_____

_____

_____

_____

_____

_____

_____

_____

_____

A vous la parole

PHONETIQUE

Vowel Timbre: [ɑ], [e], [y], [a]

You have already studied three of the vowel sounds listed above: [ə] as in **de,** [e] as in **des,** and [y] as in **du.** The fourth sound, [a], is quite similar to an English vowel sound: the *ah* sound in the word *father,* for example.

Speakers of American English need to pay special attention in order to distinguish the four vowel sounds clearly and to avoid replacing any of them with a schwa, the *uh* sound in *about, cut, the.*

Now turn on the tape, listen to the following groups of articles, and repeat them after the speaker.

1. le, la, les
2. du, de la, des, de

Ecoutez et répétez.

le, la, les
du, de la, des, de

A. Le, la, les. Voici des groupes de substantifs sans articles. Prononcez-les avec l'article défini correct (*le, la, les*). Faites attention aux voyelles.

1. croissant, confiture, tartines
2. crudités, soupe, crabe
3. homard, fruits de mer, quiche
4. purée, maïs, carottes
5. salade, fromage, fruits
6. yaourt, petits gâteaux, glace

B. Serge n'aime pas les légumes! A table, votre petit cousin Serge n'est pas un bon compagnon de voyage. Il n'aime rien! Vous êtes au restaurant et le serveur propose plusieurs choix de légumes. Répondez au serveur selon le modèle.

MODELE: *Vous entendez:* Peut-être des carottes...
          Vous répondez: Des carottes? Non, ne lui apportez pas de carottes; il ne les aime pas.

1. ...   2. ...   3. ...   4. ...   5. ...

PAROLES ET STRUCTURES

A. Chacun son goût! Ecoutez quatre jeunes Français parler de leurs habitudes de table. A la fin de chaque petit discours, vous entendrez une question. Donnez votre réponse.

1. (Martine)
2. (Frédéric)
3. (Daniel)
4. (Louise)

B. Qu'est-ce que vous aimez? Votre hôtesse française vous pose des questions sur vos préférences culinaires. Donnez votre réponse en suivant l'un des modèles.

> MODELES: a. *Vous entendez:* Les tomates, par exemple?
> *Vous répondez:* Oui, je mange beaucoup de tomates; je les aime bien.
>
> b. *Vous entendez:* Les betteraves, par exemple?
> *Vous répondez:* Non, je ne mange pas beaucoup de betteraves; je ne les aime pas trop.

1. ...   2. ...   3. ...   4. ...   5. ...   6. ...

C. Les pains Turner. Arrêtez la cassette pour regarder la publicité des pains Turner, puis répondez aux questions (répétées deux fois) par écrit.

LE BON TEMPS, C'EST MAINTENANT.

C'est ça, le pain Turner. Une envie de mordre° dedans ici et maintenant, tellement il est tendre, tellement il est bon. Avec les pains spéciaux Turner, le bon pain n'a pas changé et c'est tant mieux. Complet,° froment, au son ou au seigle,° le bon pain Turner nous fera toujours craquer.

bite

Complet... whole grain, wheat, bran, rye

1. _____

2. _____

3. _____

4. _____

D. Au féminin. Vous allez entendre des phrases dont le sujet est masculin. Transformez ces phrases au féminin. (Répétez la réponse modèle.)

MODELE: *Vous entendez:* Le père est heureux.
                  Vous répondez: La mère est heureuse.

1. ...   2. ...   3. ...   4. ...

E. Au jardin zoologique. Mettez chacune des phrases suivantes au pluriel. Attention aux articles et aux pluriels irréguliers. (Répétez la réponse modèle.)

MODELE: *Vous entendez:* L'éléphant est énorme.
                  Vous répondez: Les éléphants sont énormes.

1. ...   2. ...   3. ...   4. ...

F. Un dîner à oublier! Vous venez de rentrer d'un dîner au restaurant L'Etoile Noire qui ne vous a pas du tout plu. Regardez le dessin de ce restaurant et répondez aux questions de votre copain. Attention aux articles qui changent et à ceux qui ne changent pas.

1. ...   2. ...   3. ...   4. ...   5. ...

G. Qu'est-ce qu'ils prennent? Regardez le dessin à la page suivante, puis répondez aux questions en faisant preuve d'imagination et de logique! Mettez un pronom relatif (*qui, que*) dans votre réponse.

MODELE: *Vous entendez:* Que mange le garçon qui regarde la télé?
                  Vous répondez: Le garçon qui regarde la télé mange une pomme.

1. ...   2. ...   3. ...   4. ...   5. ...

Dictée

Vous entendrez la dictée deux fois. La première fois, écoutez. (L'ordre des plats va peut-être vous sembler bizarre, mais ne vous inquiétez pas.) La deuxième fois, écrivez. Réécoutez ensuite le premier enregistrement pour corriger. A la fin, recopiez la dictée en mettant les plats dans un ordre plus logique, du point de vue d'un Français.

1.

_____

_____

_____

_____

_____

_____

2.

_____

_____

_____

_____

_____

_____

_____

EXERCICES ECRITS

Paroles

A. Qu'est-ce que Christine a mangé hier? Pour répondre à cette question, complétez le texte suivant en rajoutant les articles nécessaires. (Voir **Paroles** et **Lectures, Chapitre 13** dans votre texte.)

Hier matin, comme d'habitude, Christine a pris une tasse de _____[1] et une tranche de pain

avec _____[2]

A midi, elle avait très faim, mais puisqu'elle était aussi très pressée, elle s'est arrêtée à l'enseigne du

«Bretzel chaud» où elle a commandé _____[3] garni avec _____[4] En

rentrant au bureau, elle est passée devant un Free Time. Elle n'a pas pu résister au dessert et donc elle a

pris _____[5]

Elle a dîné chez ses parents où elle a très bien mangé. Comme _____,[6] sa mère

a servi une salade de _____[7] Ensuite, il y avait un rôti de _____[8] servi

avec _____[9] Comme fromage, elle a pris _____[10] et

_____[11] Son _____[12] était une simple glace _____[13] Elle a

bu _____[14]

B. Et vous? En suivant l'exemple de Christine, rédigez un petit compte-rendu où vous résumez ce que vous avez mangé hier. Utilisez une autre feuille de papier.

C. Votre régime liquide. Voici une liste de boissons. Pour chacune d'entre elles, indiquez dans une phrase si vous en consommez et en quelle quantité. Utilisez des structures variées pour exprimer la quantité—par exemple, deux tasses de... , peu de... , pas de... , etc. Ajoutez à la liste deux boissons de votre choix.

le café	la bière	le jus de carotte
le lait	le Coca-Cola	l'eau minérale
le vin	?	?

1. _____

2. _____

3. _____

4. _____

5. _____

6. _____

7. _____

8. _____

9. _____

D. Bon pour la santé. Les aliments suivants, sont-ils bons ou mauvais pour la santé? Indiquez la raison de votre opinion par des phrases complètes.

1. (le pain complet) _____

    _____

2. (la glace) _____

    _____

3. (le whiskey) _____

    _____

4. (les œufs) _____

    _____

5. (le poisson) _____

    _____

6. (le camembert) _____

    _____

7. (le yaourt) _____

    _____

8. (le Coca-Cola) _____

    _____

E. **Une fiche-cuisine originale.** Aimez-vous faire la cuisine? Savez-vous au moins préparer un plat tout simple? En vous référant à la recette du «bœuf à l'orange» à la page 277 de votre livre, préparez une fiche-cuisine pour l'une de vos «spécialités». A gauche vous inscrirez les ingrédients; à droite, les instructions.

_____   _____

_____   _____

_____   _____

_____   _____

_____   _____

_____   _____

_____   _____

_____   _____

_____   _____

                            _____

                            _____

                            _____

                            _____

                            _____

Structures

A. **Du singulier au pluriel.** Mettez ces expressions au pluriel. Attention aux articles qu'il faut aussi changer.

1. le genou _____

2. l'œil bleu _____

3. un feu d'artifice _____

4. du pâté _____

5. un travail culinaire _____

6. un clou de girofle (*clove*) _____

7. une salle à manger _____

8. un hors-d'œuvre _____

B . Une histoire décousue! Complétez les phrases suivantes en rajoutant les articles et les pronoms relatifs qui conviennent.

1. C'est _____ histoire d'une jeune fille Brigitte _____ a suivi _____ régime (*diet*) pour

   maigrir.

2. _____ régime _____ elle a choisi était très sévère.

3. _____ plats _____ elle avait envie étaient tous interdits.

4. _____ seul dessert _____ était permis, c'était _____ yaourt.

5. Pas _____ glace, pas _____ pâtisseries, et seulement _____ yaourt nature.

6. Pauvre Brigitte! Cette fille _____ aimait tant _____ bière et _____ vin était obligée de ne

   boire que _____ eau minérale.

7. Un jour _____ elle était de mauvaise humeur, elle a vu _____ publicité de Volvic _____ sa

   mère lui avait parlé et _____ le titre était «A nous le bien-être».

8. La fille _____ paraissait dans cette publicité était belle et souriante.

9. En l'apercevant, Brigitte a crié: «Toi _____ as _____ air si contente, ce n'est pas toi _____ je

   veux devenir, ce n'est pas toi _____ je veux être!»

10. Et Brigitte s'est retournée et s'est regardée dans _____ glace _____ elle avait souvent voulu

    briser.

11. Cette fois pourtant, l'image _____ elle y a vue n'était pas _____ image _____ elle avait honte

    mais plutôt _____ image _____ la satisfaisait.

12. Sur le coup, elle a décidé qu'il était temps de prendre _____ glace, pas un peu _____ glace

    mais beaucoup _____ glace, peut-être un Super Sundae!

Comme dit le proverbe: «Le mieux est l'ennemi du bien-être.»

C . Le secret de Brigitte. Parfois il est plus prudent de parler dans le vague. Aidez Brigitte à garder son secret. Transformez les phrases suivantes en remplaçant l'antécédent par *ce*.

MODELE: Brigitte aime la pâtisserie qui a beaucoup de beurre.
          Brigitte aime ce qui a beaucoup de beurre.

1. Brigitte voit le gâteau breton qui est sur la table.

   _____

2. C'est le gâteau qu'elle veut.

_____

3. C'est le seul dessert dont elle a envie.

_____

4. C'est le gâteau qui lui fait envie depuis son enfance.

_____

5. C'est le gâteau qu'elle décide de manger.

_____

6. C'est le gâteau qui la rend à la fois heureuse et honteuse.

_____

D. **«Dis-moi ce que tu manges, et je te dirai qui tu es»** (A. Brillat-Savarin, gastronome). En choisissant un élément de chaque colonne, composez des phrases qui décrivent certaines de vos habitudes. Faites preuve de créativité.

Quand je suis triste	acheter	de la glace
Pour impressionner mes amis	manger	du jus de carottes
Quand je suis malade	boire	des escargots
La semaine des examens	refuser de goûter	de la pizza
Pour faire plaisir à mes parents	rêver de	du café
?	?	?

1. _____

_____

2. _____

_____

3. _____

_____

4. _____

_____

5. _____

_____

6. _____

_____

E. Et vous? Comprenez-vous Brigitte? Avez-vous déjà suivi un régime? Sur une autre feuille de papier, écrivez un paragraphe où vous décrivez cette expérience pénible. (Si vous avez la chance de n'avoir jamais suivi de régime, racontez l'expérience d'un copain, d'une copine, ou d'un membre de votre famille.) Essayez d'utiliser autant de ces pronoms relatifs que possible: *qui, ce qui, où, que, ce que, dont, ce dont.*

F. Vous désirez? En France, vous êtes dans un petit restaurant où vous voulez dîner à la carte. La serveuse vous pose des questions. Complétez le dialogue en consultant la carte à la page 182 de ce manuel. (Bon appétit!)

LA SERVEUSE: Bonsoir. Pourrais-je vous servir un hors-d'œuvre ou peut-être un potage?

VOUS: _____

_____

LA SERVEUSE: Prenez-vous une entrée?

VOUS: _____

_____

LA SERVEUSE: Et ensuite, comme plat garni?

VOUS: _____

_____

LA SERVEUSE: Quel fromage préférez-vous? Ou peut-être prendrez-vous un dessert à la place?

VOUS: _____

LA SERVEUSE: Et comme boisson?

VOUS: _____

Chapitre 14

EXERCICES ORAUX

A l'écoute de la vie

AVANT D'ECOUTER

Etude de mots. Analysez les phrases suivantes pour déduire le sens des mots en italique. Ecrivez un équivalent anglais.

1. *Une cocotte* est une petite marmite. On fait dorer la viande dans une cocotte. _____

2. *La compote* de pommes est une sorte de purée de pommes qui se mange en dessert.

   _____

A L'ECOUTE

A. Ecoutez la séquence sonore une première fois en notant les choses suivantes.

1. Le menu proposé

   a. _____

   b. _____

   c. _____

2. Les magasins où il faudra aller faire les courses

   a. _____

   b. _____

   c. _____

B. Ecoutez encore le début de la conversation et analysez la recette donnée.

1. Liste des ingrédients

   _____   _____

   _____   _____

   _____   _____

2. Techniques. Parmi les verbes suivants, soulignez ceux qui sont utilisés dans la recette: *ajouter, mélanger, faire couper, faire cuire, faire chauffer, faire dorer, faire revenir, faire frire, faire bouillir, faire flamber.*

3. Supposons que vous vouliez essayer cette recette. Quelles instructions supplémentaires voudriez-vous avoir?

_____

_____

_____

C. Le dessert. Quel est l'ingrédient qui donne «un goût très fin» à ce dessert?

1. le beurre dans la pâte
2. la compote

3. la confiture d'abricots
4. le sucre par-dessus les pommes

D. Concentrez-vous maintenant sur la fin de la conversation et récapitulez ce qu'il faut et ne faut pas acheter pour ce repas. Il faudra inclure dans la liste de «ce qu'il y a déjà à la maison» les produits ou ingrédients qui ne sont pas mentionnés pour les courses mais qui ont été mentionnés auparavant (*beforehand*).

CE QU'IL Y A DEJA A LA MAISON   CE QU'IL FAUT ACHETER

_____   _____

_____   _____

_____   _____

_____   _____

A vous la parole

PHONETIQUE

Nasal Vowels: [ɛ̃], [ɑ̃], [ɔ̃]

There are three nasal vowel sounds in French. The mouth and lips take the same position to produce a nasal vowel as they do to produce the corresponding oral vowel. The difference occurs when you actually produce the sound. For a nasal vowel, you release air through the nose *and* the mouth; for an oral vowel, you release all the air through the mouth. Compare: **beau, bon.**

Turn on the tape and listen to the following pairs of words. The first word contains an oral vowel, and the second word contains the corresponding nasal vowel. Repeat the words after the speaker.

/ɛ/	fais	/ɛ̃/	faim
	très	.	train
/ɑ/	à	/ɑ̃/	en
	sa		sans
/o/	eau	/ɔ̃/	on
	mot		mon

A. Faisons les courses! Répétez les phrases suivantes en distinguant bien les voyelles nasales des autres.

1. Allons aux petits magasins.
2. Il faut prendre de la dinde.
3. Les enfants voudront des bonbons.

4. De combien de vin a-t-on besoin?
5. On n'en a plus à la maison.

B. Comptons un peu! Répondez à chacune des questions suivantes en utilisant le pronom *en* et le nombre entre parenthèses.

MODELE: (15)
Vous entendez: Combien de bananes prendrez-vous?
Vous répondez: Des bananes? J'en prendrai quinze.

1. (5)   2. (11)   3. (20)   4. (45)   5. (500)

PAROLES ET STRUCTURES

A. Où faut-il aller? Votre copine Mireille a une liste de provisions à prendre mais elle ne sait pas où. Puisqu'elle veut éviter le supermarché, proposez-lui toujours un petit magasin. Réponses possibles: *la charcuterie, la pâtisserie, l'épicerie, la boucherie, la boulangerie, la poissonnerie.*

MODELE: *Vous entendez:* J'ai besoin de sucre.
Vous répondez: Du sucre? Tu en trouveras à l'épicerie.

1. ...   2. ...   3. ...   4. ...   5. ...   6. ...

B. Robert est allé au supermarché. Regardez les petites scènes ci-dessous. Répondez aux questions en utilisant une des expressions suivantes.

1.   **2.**   **3.**

4.   **5.**   **6.**

passer par les rayons pour prendre ses provisions   prendre un chariot
sortir du magasin   payer
y mettre ses achats   faire la queue à la caisse

C. **«Dis-moi ce que tu manges» (suite).** Arrêtez la cassette afin de relire le tableau ci-dessous. Ensuite, répondez par écrit aux questions que vous entendrez deux fois. Voici une structure utile:

Du riz? J'en mange   plus / autant / moins   que le Français moyen.

Ce que vous mangez

	en plus			en moins	
	QUANTITÉ	ÉVOLUTION %		QUANTITÉ	ÉVOLUTION %
Riz	3,8 kg	+ 58,3	Pain	50,6 kg	− 36,4
Farine de blé	4,2 kg	+ 13,5	Pâtes	5,5 kg	− 25,7
Confiture	2,7 kg	+ 50	Pommes de terre	57,8 kg	− 38,8
Viande de boucherie	23,7 kg	+ 12,9	Légumes secs	1,5 kg	− 34,8
Dont : Bœuf		+ 14	Lait frais	73,6 l	− 13,2
Mouton-Agneau		+ 84,2	Beurre	7,7 kg	− 13,5
Porc frais, salé			Huiles alimentaires	10,9 l	− 9,9
fumé		+ 29,7	Sucre	13,8 kg	− 31
Volailles		+ 17,9			
Charcuterie	8,9 kg	+ 30,9			
Fromages	14,4 kg	+ 33,3			
			Vin ordinaire	48,8 l	− 38,1
Apéritifs et liqueurs	3,5 l	+ 25	Bière	16,6 l	− 20,2
			Cidre	4,6 l	− 65,9

Quantités consommées à domicile par personne et par an en 1978–1980.
Évolution en % par rapport à la période 1965–1967 (*source: INSEE, 1982*).

1. _____

2. _____

3. _____

4. _____

D. **Vous êtes sûr(e)?** Un groupe de vos copains préparent un gâteau. Répondez aux questions (répétées deux fois) avec le pronom *en* ainsi que la quantité.

MODELE: *Vous entendez:* Est-ce que Marie a mis 200 grammes de beurre?
          Vous répondez: Oui, elle en a mis 200 grammes.

1. ...   2. ...   3. ...   4. ...   5. ...

E. **La vie quotidienne.** Gaston et Hélène sont à la maison. Commentez les dessins à la page suivante en répondant aux questions. Utilisez *y* ou *en* dans la réponse, selon le modèle.

MODELE: *Vous entendez:* Est-ce qu'Hélène va au supermarché?
          Vous répondez: Oui, elle y va, mais Gaston n'y va pas.

1.

2.

3.

4.

1. ...   2. ...   3. ...   4. ...

F. Ce n'est pas juste! Vous vous sentez très seul(e): votre famille et vos amis sont partis en vacances sans vous. C'est la faute de votre patron qui a refusé de vous accorder des vacances. Répondez aux questions de votre patron en utilisant un pronom disjoint.

1. ...   2. ...   3. ...   4. ...   5. (Non)

G. Dans votre frigo. Les frigos des étudiants renferment souvent des surprises! Qu'est-ce qu'il y a dans votre frigo en ce moment et en quelle quantité? Ecoutez les questions deux fois et ne cachez pas la vérité! (Si vous n'avez pas de frigo à vous, qu'est-ce qu'il y a dans un frigo de votre résidence ou dans le frigo d'un ami ou d'une amie?)

1. ...   2. ...   3. ...   4. ...

Dictée

Vous entendrez la dictée deux fois. La première fois, écoutez. La deuxième fois, écrivez. Puis réécoutez le premier enregistrement pour corriger. A la fin, répondez à la question.

_____

_____

_____

_____

_____

_____

_____

Qu'est-ce que ce marchand essaie de vendre?

a. du sucre c. du poivre de Cayenne
b. des herbes de Provence d. de la moutarde de Dijon

EXERCICES ECRITS

Paroles

A. **Qu'est-ce que l'on y trouve?** A côté du nom des petits magasins suivants, indiquez par une phrase deux produits que l'on peut y acheter. Soyez original(e)!

MODELE: (une pâtisserie) → On peut y acheter une tarte aux abricots et des choux à la crème.

1. (une épicerie) _____

_____

2. (une charcuterie) _____

_____

3. (une boucherie) _____

_____

4. (une boulangerie) _____

_____

5. (une poissonnerie) _____

_____

6. (un marché en plein air) _____

_____

B. **Différentes sortes de produits.** Certains produits se vendent sous une seule forme. Par exemple, la confiture se vend toujours en conserve. D'autres produits existent sous plusieurs formes. Quels sont deux ou trois produits (autres que fruits ou légumes) que vous pouvez acheter sous chacune des cinq formes indiquées ci-dessous?

MODELE: (en conserve) → de la confiture, du thon, de la moutarde

1. (frais) _____

2. (en boîte) _____

3. (secs) _____

4. (en poudre) _____

5. (surgelés) _____

C. **Les fruits et les légumes.** Pour acheter des fruits et des légumes, vous avez le choix entre des produits frais, en conserve ou surgelés. Ecrivez un paragraphe où vous indiquez sous quelles formes vous achetez vos fruits et vos légumes. Justifiez votre choix: dépend-il du produit lui-même, de l'époque de l'année, de votre régime, etc.?

_____

_____

_____

_____

_____

_____

_____

_____

_____

_____

D. **Toutes sortes de madeleines!** Vous connaissez déjà une recette de madeleines (page 316 du livre). En voici deux autres. Lisez-les, puis décidez laquelle vous voulez essayer pour faire des madeleines à la maison.

MADELEINES AU CITRON

Temps de cuisson, 15 mn • Pour 15 pièces

Mélanger le sucre avec les 2 œufs entiers; battre pour blanchir la pâte, ajouter le zeste de citron haché, puis la farine et le beurre fondu tiède. Mettre dans des moules beurrés et farinés. Cuire à four chaud.

**2 œufs et un poids équivalent de sucre en poudre, de farine et de beurre
1 zeste de citron**

MADELEINES DE COMMERCY

Temps de cuisson, 15 mn • Pour 12 pièces

Passer ensemble au tamis le sucre et la farine. Ajouter les œufs à la spatule sans pour cela triturer trop la pâte. Ajouter alors le beurre cuit noisette. La pâte est mise à reposer pendant 1 h au frais, puis versée en moules spéciaux beurrés et farinés. Cuire à four chaud.

125 gr. de sucre • 125 gr. de farine • 125 gr. de beurre • 2 œufs

Je voudrais essayer la recette des madeleines _____

parce que _____

_____

Maintenant il faut faire des provisions. A quels magasins irez-vous pour acheter les divers ingrédients?

MODELE: Pour la farine, j'irai à l'épicerie.

_____

_____

_____

_____

_____

A l'œuvre! C'est le moment de vérité! Pourrez-vous réussir à faire des madeleines? De quels ustensiles aurez-vous besoin pour préparer la pâte et pour la cuire? Expliquez comment vous vous servirez de chaque ustensile.

_____

_____

_____

_____

_____

E. **Ce soir il y aura de la tourte à la mozzarelle!** Vous recevez un groupe de copains à dîner. Vous allez servir de la tourte à la mozzarelle comme plat principal. Etudiez la liste d'ingrédients, puis complétez les listes qui suivent.

TOURTE A LA MOZZARELLE

Préparation: 30 mn (attente 2 h + 15 mn) • Cuisson: 40 mn

Pour 6 personnes

400 g de mozzarelle • 200 g de jambon en très fines tranches • 5 tomates • 4 cuil. à soupe de parmesan râpé • 2 brins de basilic • sel, poivre

Pour la pâte

300 g de farine • 150 g de beurre + 20 g pour le moule • 4 œufs + 1 jaune pour dorer • 20 g de levure de boulanger • 2 cuil. de lait • sel

Le menu: Qu'est-ce que vous allez servir avec la tourte? et comme dessert? et à boire?

PLATS   BOISSONS

_____tourte_____   _____

_____   _____

_____   _____

_____

Votre liste de provisions: magasins et quantité

SUPERMARCHE_____   _____   _____

__5 tomates_____   _____   _____

_____   _____   _____

_____   _____   _____

_____   _____   _____

_____   _____   _____

Votre emploi du temps pour la journée:

HEURE   ACTIVITE

__10h_____   ____faire les commissions_____

_____   _____

_____   _____

_____   _____

_____   _____

_____   _____

Structures

A. **Trop de courses.** Vous venez de rentrer d'un après-midi fatigant: il vous a fallu passer chez presque tous les marchands du quartier. Pour chaque phrase de l'exercice, inventez une suite en remplaçant les mots en italique par un pronom. Soyez original(e) en complétant les phrases.

MODELE: D'abord, je suis allé(e) *à l'épicerie;* j'y ai acheté des conserves.

1. J'avais besoin *de fruits de mer* pour servir en entrée; _____

    _____

2. J'ai longuement parlé *au poissonnier;* _____

    _____

3. Ensuite, je me suis arrêté(e) *chez le boucher* pour prendre *des escalopes de veau;* _____

_____

4. En sortant, je suis allé(e) *au marché en plein air* pour chercher *des légumes;* _____

_____

5. J'ai rencontré *le nouveau marchand de fromage qui vient d'arriver de Suisse;* _____

_____

6. Il m'a persuadé(e) d'essayer *sa raclette et son emmenthal;* _____

_____

7. Avant de rentrer, j'ai dû prendre un *pain de campagne à la boulangerie du coin;* _____

_____

8. En arivant à la maison, je me suis souvenu(e) *du vin dont j'avais besoin;* _____

_____

B. **A vos ordres!** Votre petit frère veut vous aider à préparer un gâteau. Laissez-lui un petit mot (*note*) à lire en attendant votre arrivée. Récrivez les ordres suivants en remplaçant les mots en italique par un pronom.

MODELE: Cherche *la recette!* → Cherche-la!

1. Cherche *le moule à gâteau!* _____

2. Mets *la spatule et la cuillère en bois* sur la table! _____

3. Prends trois *œufs*, pas quatre! _____

4. Sors *la farine!* _____

5. Souviens-toi de préchauffer *le four!* _____

6. Ne mets pas *tes doigts* dans le sucre! _____

C. **Des personnes pas comme les autres.** Composez une ou deux phrases où vous décrivez cinq personnes que vous respectez beaucoup. Utilisez autant de pronoms disjoints que possible. Voici quelques expressions verbales utiles: *tenir à, penser à, rêver à, avoir besoin de, avoir confiance en, se souvenir de.*

MODELE: Claudette est ma meilleure amie. Je peux toujours me fier à elle.

1. _____

_____

2. _____

_____

3. _____

   _____

4. _____

   _____

5. _____

   _____

D. «L'édifice immense du souvenir». Vous souvenez-vous de Proust et de son expérience avec la madeleine? Nos sens sont souvent la source de très beaux souvenirs. Pour chacun des cinq sens, donnez un exemple de votre «édifice de souvenirs».

MODELES: (le toucher) → mon chat qui se couchait dans mon lit en hiver quand il avait froid

(l'odorat) → le sapin de Noël quand je suis rentré à la maison après mon premier semestre à l'université

1. (la vue) _____

   _____

   _____

2. (l'ouie [entendre]) _____

   _____

   _____

3. (l'odorat) _____

   _____

   _____

4. (le goûter) _____

   _____

   _____

5. (le toucher) _____

   _____

   _____

E. «Le temps retrouvé». Choisissez un des souvenirs que vous avez cités ci-dessus (exercice D). Sur une feuille de papier, décrivez en détail l'expérience inoubliable associée au souvenir. Avez-vous déjà revécu l'expérience à travers vos sens? Sinon, dans quelles circonstances pensez-vous pouvoir revivre cette expérience du temps passé?

Chapitre 15

EXERCICES ORAUX

A l'écoute de la vie

AVANT D'ECOUTER

Imaginez que vous êtes dans un restaurant en France et qu'on vous apporte les menus suivants. En étudiant ces menus, quelles sont les questions qui vous viennent à l'esprit? A la page suivante, notez vos premières réactions, puis quelques questions que vous poseriez au serveur ou à la serveuse avant de commander.

Menu Prix Net 120 F

Foie Gras de Canard Maison (supplément 10 F)
Saumon Fumé avec Toasts (supplément 10 F)
Soupe de Poisson
Saumon Mariné à l'Aneth
Assiette de Crustacés Tièdes
Ballotine de Canard au Foie Gras

6 Escargots de Bourgogne
Escalope de Saumon Beurre Blanc
Filet de Sole au Chablis
Lotte à l'Américaine
Saint-Jacques à la Provençale

Filet Mignon au Poivre Vert
Rognons de Veau à l'Estragon
Pavé de Bœuf au Roquefort
Turbot Grillé ou Poché (supplément 10 F)
Magret de Canard à la Bordelaise
Noisette d'Agneau aux Morilles (supplément 10 F)

Salade de Saison
ou Plateau de Fromages

Dessert (voir la carte)
Soufflé au Grand Marnier (supplément 15 F)
à commander au début du repas

Menu Prix Net 95 F

Saumon Mariné à l'Aneth
Soupe de Poisson Maison
Ballotine de Canard au Foie Gras
Jambon de Bayonne
12 Escargots de Bourgogne
Assiette de Crustacés

Rognons de Veau à l'Estragon
Escalope de Saumon Beurre Blanc
Turbot Grillé ou Poché (supplément 10 F)
Filet de Loup au Chablis
Filet Mignon au Poivre Vert
Pavé de Bœuf au Roquefort
Magret de Canard Bordelaise

Salade de saison
ou Plateau de Fromages

Dessert (voir la carte)

Soufflé au Grand Marnier (supplément 15 F)
à commander au début du repas

DESSERTS

Assiette de Sorbet au Coulis	25 F
Poire Belle-Hélène au Chocolat Chaud	21 F
Melba aux Fruits de Saison	21 F
Feuilletté aux Fruits de Saison	23 F
Soufflé au Grand Marnier (pour 2 personnes)	70 F
(à commander au début du repas)	
Nougat Glacé	22 F
Gratin de Fruits	25 F

MAISON
BOUCHARD PERE & FILS
NÉGOCIANT AU CHATEAU BEAUNE COTE-D'OR

1. Premières réactions (exemple: «95 et 120F, voyons, ça fait combien en dollars?»)

_____

_____

2. Questions (sur ce que vous ne comprenez pas, etc.)

_____

_____

_____

_____

A L'ECOUTE

A. Ecoutez la séquence sonore une première fois en soulignant sur les menus tous les plats et desserts qui sont mentionnés dans la conversation.

B. Ecoutez encore et indiquez si ces phrases sont vraies (V) ou fausses (F).

V   F

☐ ☐   1. Ce restaurant est recommandé dans un guide.

☐ ☐   2. Les deux clients pensent que les prix sont très raisonnables.

☐ ☐   3. La dame adore les escargots.

☐ ☐   4. Le Filet Mignon est un filet de porc.

☐ ☐   5. La lotte à l'Américaine est un poisson.

☐ ☐   6. La dame n'a pas suffisamment d'appétit pour commander le menu à 120F.

☐ ☐   7. Le monsieur n'aime pas essayer des plats qu'il ne connaît pas.

☐ ☐   8. Les clients demandent à la serveuse de décrire trois plats différents.

☐ ☐   9. La dame a l'intention de commander du nougat glacé comme dessert.

☐ ☐   10. Le monsieur aime commander les spécialités régionales.

C. Ecoutez encore et encerclez sur les menus ce que les deux clients commandent. Ecrivez à côté si c'est pour *lui* ou pour *elle*.

D. Ecoutez une autre fois en faisant attention aux détails qui suggèrent où le restaurant est situé.

1. Situation dans la ville: _____

2. Situation en France: _____

Donnez deux preuves: _____

_____

E. Et vous? Maintenant que vous en savez un peu plus sur ce restaurant, faites votre commande!

MENU A _____ FRANCS

Hors-d'œuvre: _____

(Entrée): _____

Plat principal: _____

Salade/fromage: _____

Dessert: _____

A vous la parole

PHONETIQUE

Nasal Vowels (continued)

In written French, the letter *m* or *n* indicates that the vowel directly before it is nasalized. However, if the *m* or *n* is followed by an *e* or if the consonant is doubled, the vowel sound is no longer nasalized but becomes an oral vowel.

This rule is important for the pronunciation of certain possessive pronouns (for example: **mien, mienne**) and certain present tense verb forms that you are studying in this lesson.

Now turn on the tape and repeat the following pairs of words after the speaker.

VOYELLES NASALES	VOYELLES ORALES
plein	pleine
lampe	lame
nom	nommer
mien	mienne
vient	viennent
prend	prennent

A. Singulier ou pluriel? Vous allez entendre des verbes conjugués à la troisième personne du présent. Si le verbe est au singulier, répétez-le, puis mettez-le au pluriel; s'il est au pluriel, répétez-le, puis mettez-le au singulier.

1. ... 2. ... 3. ... 4. ... 5. ... 6. ...

B. A qui sont toutes ces choses? Répondez affirmativement aux questions suivantes selon le modèle. (Répétez la réponse modèle.)

MODELE: *Vous entendez:* Est-ce que c'est le plateau de Jean?
Vous répondez: Oui, c'est le sien.

1. ... 2. ... 3. ... 4. ... 5. ... 6. ...

PAROLES ET STRUCTURES

A. **Tout sert à quelque chose!** Identifiez les objets dont vous entendez la définition.

MODELE: *Vous entendez:* On l'utilise pour servir la soupe.
                Vous répondez: Il s'agit d'une louche.

1. ...   2. ...   3. ...   4. ...   5. ...

B. **Différents couverts pour différents plats.** Vous entendrez les noms de quelques plats et boissons que vous et vos camarades de classe allez servir pour le repas qui marquera la fin des examens. Pour chaque plat, indiquez ce qu'il faudra mettre comme couvert. (Vous entendrez ensuite une des réponses possibles.)

MODELE: *Vous entendez:* Nous allons servir du bœuf à l'orange.
                Vous répondez: Il faut mettre des assiettes plates, des couteaux et des fourchettes.

1. ...   2. ...   3. ...   4. ...

C. **Boissons fraîches pour jours chauds.** Arrêtez la cassette et regardez bien cette publicité, puis répondez aux questions. (Vous entendrez ensuite une des réponses possibles.)

Boire frais c'est agréable, boire gai c'est sympathique. Pourquoi ne pas

BOISSONS FRAICHES POUR JOURS CHAUDS

Service long drinks, la carafe et six verres : 55 F, Verreries champenoises dans les supermarchés Carrefour. Conservateur en terre cuite : 62 F, Culinarion. Parasol et table de jardin, Pier Import. Serviettes en papier, Monoprix.

1. ...   2. ...   3. ...   4. ...   5. ...

D. Ça ne va pas du tout! Vous avez invité des amis à dîner et tout semble aller mal! Répondez affirmativement aux questions de votre copine qui vous aide, en utilisant un pronom démonstratif.

MODELE: *Vous entendez:* Est-ce que cette nappe-ci est trop petite?
Vous répondez: Oui, celle-ci est trop petite.

1. ...   2. ...   3. ...   4. ...   5. ...

E. Qu'est-ce qu'on boit? Vous êtes au café avec vos amis. Comme vous êtes une personne curieuse, vous demandez à une copine ce que les autres boivent.

MODELE: (citronnade)
Vous entendez: Qu'est-ce qu'il y a dans le verre de Claude?
Vous répondez: Il y a de la citronnade dans le sien.

1. (vin rouge)   3. (vin blanc)
2. (café noir)   4. (Coca-Cola)

F. Une petite sœur distraite. Comme votre petite sœur n'est pas très observatrice, elle pose des questions dont les réponses sont évidentes. Répondez-lui avec impatience.

MODELE: *Vous entendez:* Tu fais tes devoirs?
Vous répondez: Tu vois bien que je suis en train de les faire.

1. ...   2. ...   3. ...   4. ...   5. ...

G. Rien ne changera! Ecoutez les phrases suivantes, puis mettez-les au futur. (Répétez la réponse modèle.)

MODELE: *Vous entendez:* Quand il pleut, je porte un parapluie.
Vous répondez: Quand il pleuvra, je porterai un parapluie.

1. ...   2. ...   3. ...   4. ...

H. Depuis quand? Vous entendrez quatre questions (répétées deux fois) auxquelles il faudra donner une réponse personnelle.

1. ...   2. ...   3. ...   4. ...

Dictée

Vous entendrez la dictée deux fois. La première fois, écoutez. La deuxième fois, écrivez. Puis réécoutez le premier enregistrement pour corriger.

_____

_____

_____

_____

_____

_____

_____

_____

_____

EXERCICES ECRITS

Paroles

A . Savez-vous suivre un régime? A côté du nom de chaque type de régime, écrivez deux phrases. Dans la première, indiquez deux ou trois mets recommandés pour ce régime et dans la seconde, indiquez deux ou trois mets à éviter.

    1. un régime végétarien

        On peut prendre _____ .

        On doit éviter _____ .

    2. un régime amaigrissant

        _____

        _____

    3. un régime grossissant

        _____

        _____

    4. un régime sans sucre

        _____

        _____

    5. un régime sans sel

        _____

        _____

B . Votre déjeuner au Royal Chabanais. Voici, à la page suivante, un prospectus que l'on vous a donné l'autre jour. Puisque le menu vous semblait bon, vous avez décidé d'essayer le restaurant hier à midi. Complétez les phrases suivantes en deux temps: d'abord, nommez le plat, puis précisez le récipient utilisé.

A 5 mn. des grands
boulevards :
Bourse - Opéra

LE
ROYAL
CHABANAIS

**6, rue Chabanais
75002 Paris**

Chez Jean-Jacques

Cuisine Bourgeoise - Traditionnelle

Spécialités :

Repas d'affaires

Réunions familiales

Service jusqu'à 23 heures
*(Fermé le dimanche
sauf pour banquets)*

42.96.38.90.

LE CHEF A MIJOTE POUR VOUS

**LE MENU
SERVI AU DEJEUNER SEULEMENT**
. . . .
60F PRIX NETS

LA SALADE NORDIQUE
OU LA CROUSTADE AU ROQUEFORT
OU LA TERRINE DE LAPIN MAISON
OU LA SALADE DE GRATONS DE CANARD

*

LA GESADE DE CANARD
OU LE LAPEREAU AUX PRUNEAUX
OU LE FAUX-FILET GRILLÉ OU ÉCHALOTE
OU LA GRILLADE DE PORC AU CIDRE

*

LE PLATEAU DE FROMAGES
OU
LES DESSERTS DU JOUR
. . . . . .

SUGGESTION DU JOUR

ENTRÉE	:	LE SAUCISSON CHAUD DE LYON
PLAT	:	LE COQ AU VIN MAISON
DESSERT	:	LES CRÊPES NORMANDES

Parking :
BOURSE - PYRAMIDES

Apéritif Maison offert gracieusement sur présentation de ce prospectus

Métro : Bourse - Palais-Royale **Métro :** 4 Septembre - Pyramides

MODELE: Comme boisson, <u>j'ai choisi du vin rouge que l'on m'a servi dans un verre à vin.</u>

1. Comme entrée, _____

_____ .

2. Comme plat garni, _____

_____ .

3. Comme fromage (ou dessert), _____

_____ .

4. Après le fromage (ou dessert), _____

_____ .

C. Le panier à pique-nique. Imaginez que vous allez faire un pique-nique demain avec vos copains. C'est vous qui êtes responsable de préparer le panier. Sur une autre feuille de papier, écrivez un paragraphe où vous indiquez tout ce que vous allez y mettre. Pensez aux couverts et à la nourriture. Soyez aussi précis(e) que possible.

D. Les mauvaises manières. Vous connaissez sans doute des personnes qui, à table, n'ont aucune manière. Faites une liste des cinq comportements qui vous dérangent (*bother*) le plus à table.

1. _____

_____

2. _____

_____

3. _____

_____

4. _____

_____

5. _____

_____

E. Une catastrophe au restaurant. Tout le monde a eu une expérience malheureuse dans un restaurant. Racontez l'une de vos expériences. (1) Décrivez en détail le restaurant et votre table. (2) Racontez ce qui s'est passé d'une façon chronologique.

_____

_____

_____

_____

_____

_____

_____

_____

_____

Structures

A. A la fortune du pot. Votre classe de français organise un repas à la fortune du pot. Récrivez les phrases suivantes en utilisant un pronom possessif.

1. Rochelle va apporter ses assiettes.

   _____

2. Dorianne tient à sa carafe en cristal; elle ne l'apportera pas.

   _____

3. Nous aurons besoin des ustensiles de Michelle et Mireille.

   _____

4. Richard n'oublie jamais rien; il pensera à son plateau en argent.

   _____

5. Caroline est très fière de ses tasses à café; elle veut nous les montrer.

   _____

6. Nous nous servirons des verres à vin de Daniel.

   _____

B. Des restaurants mémorables. Nous avons tous eu des expériences au restaurant dont nous gardons des souvenirs. Parlez des vôtres en complétant les phrases suivantes.

> MODELE: Le plus beau décor de restaurant que je connais est celui →
>   <u>que j'ai découvert sur le port à Antibes.</u>
>   *ou bien:* <u>du restaurant Georges Blanc à Vonnas.</u>

1. De tous les restaurants que je connais, je préfère celui _____

   _____

2. La carte de restaurant la plus chère que j'ai jamais vue est celle _____

   _____

3. Les serveurs (serveuses) que je préfère sont ceux (celles) _____

   _____

4. L'addition qui m'a le plus étonné(e) était celle _____

_____

5. Le meilleur plat que j'ai jamais goûté est celui _____

_____

C. L'histoire d'un restauranteur. Le propriétaire d'un petit restaurant nous décrit sa routine matinale. Complétez le texte avec la forme correcte du présent des verbes.

Ma femme et moi, nous _____¹ notre restaurant vers

dix heures. Tout de suite, ma femme _____² les lampes

que nous _____³ tous les soirs avant de partir, et moi, je

_____⁴ dans la cuisine. A onze heures, les serveurs

_____⁵ mettre le couvert et afficher la carte. Ces garçons

_____⁶ difficiles; ils _____⁷ toujours de

quelque chose. C'est en général vers midi que j'_____⁸ les

premiers clients qui _____⁹ pour regarder la carte. C'est

alors que nous _____¹⁰ le service du déjeuner.

apercevoir
disparaître
allumer
être
ouvrir
éteindre
se plaindre
s'arrêter
commencer
venir

D. Qu'est-ce que l'avenir vous réserve? Avez-vous des projets d'avenir? Complétez les phrases suivantes de façon réaliste.

1. Quand je recevrai mon diplôme, _____

_____

2. Dès que _____ ,

j'achèterai _____

3. Je voudrais _____

aussitôt que _____

4. Tant que _____ ,

je serai content(e).

5. La prochaine fois que _____ ,

je ne ferai plus la même erreur!

E. **Pourquoi êtes-vous contre?** Pourquoi préférez-vous un autre restaurant? Votre vieille Tante Emilie vous propose de fêter votre anniversaire au restaurant Hippo. Vous êtes d'un avis différent et avez choisi un autre restaurant (de votre invention) pour son décor et ses menus. Sur une autre feuille, écrivez une lettre à Tante Emilie où vous exprimez les raisons de votre choix. Utilisez les tournures suivantes.

EXPLICATIONS	NUANCES	CONTRASTES
c'est-à-dire	en plus	par contre
c'est pour cela que	d'ailleurs	tandis que

L'HIPPO FUTÉ 73,00 F
Salade Hippo
Faux filet grillé (240 g)
sauce poivrade
Pommes allumettes

LES VINS EN PICHET (31 cl)

BORDEAUX ROUGE A.C.	23,00 F
GAMAY DE TOURAINE A.C.	17,00 F

LES ENTRÉES

ASSIETTE DU JARDINIER	29,00 F
TERRINE DU CHEF	27,00 F
COCKTAIL DE CREVETTES	30,00 F
SALADE DE SAISON	13,00 F

LES GRILLADES
avec sauce au choix.

FAUX FILET MINUTE — 59,00 F
Tellement goûteux qu'il plaît aussi à ceux qui l'aiment «bien cuit».

T. BONE — 89,00 F
Tranche à l'américaine, avec le filet et le faux filet de part et d'autre de l'os en T. 2 qualités de viande dans le même morceau d'environ 380 g.

PAVÉ — 69,00 F
Tranché dans le cœur des rumsteaks, c'est une tranche maigre et épaisse (conseillé pour ceux qui aiment «rouge»).

ENTRECÔTE — 69,00 F
Un morceau qui permet à ceux qui aiment «bien cuit» d'apprécier cependant la bonne viande.

CÔTE «VILLETTE» — 184,00 F
Pour 2 affamés d'accord sur la même cuisson. 850 grammes environ.

CÔTES D'AGNEAU — 73,00 F

LES FROMAGES

BRIE DE MEAUX AUX NOIX	23,00 F
FROMAGE BLANC NATURE	15,00 F

LES DESSERTS

MOUSSE AU CHOCOLAT	22,00 F
TARTE AUX FRUITS	29,00 F

LES GLACES

COUPE HIPPOPOTAMUS — 26,00 F
(glace rhum, sauce rhum, chantilly).

PARADIS NOISETTE — 29,00 F
(glace noisette, sauce chocolat, amandes grillées).

VACHERIN ROYAL — 31,00 F
(meringue, glace vanille, glace caramel, sauce chocolat, chantilly).

LES SORBETS

POIRE	22,00 F
FRUIT DE LA PASSION	22,00 F

Prix effectifs au 01/04/88 et sujets à variation sans préavis.
PRIX SERVICE COMPRIS (15 %)

Thème VI

Chapitre 16

EXERCICES ORAUX

A l'écoute de la vie

AVANT D'ECOUTER

A. Le stress. Quelles sont les causes du stress dans la vie moderne? Ecrivez quelques idées, que vous allez ensuite pouvoir comparer avec celles que donne une Française sur la bande sonore.

_____   _____

_____   _____

_____   _____

B. Etude de mots. Déduisez le sens de ces trois mots en les utilisant dans les contextes donnés.

  un bilan   quotidien   un emprunt bancaire

1. Un journal _____ est un journal qui paraît tous les jours.

2. Quand on a besoin d'argent, on peut aller à la banque pour faire _____.

3. Faisons une évaluation, ou _____, de la situation.

A L'ECOUTE

A. Ecoutez la bande sonore une ou deux fois et organisez les idées discutées en un plan chronologique. Numérotez de 1 à 10.

___   définition du stress

___   cause principale du stress

___   stress du PDG

___   stress du Parisien

___   stress de l'étudiant

___   stress du paysan

___   stress de la vie professionnelle

___   stress dû aux obligations financières

___   stress dû à l'âge

___   stress de l'ingénieur

B. Ecoutez encore en prenant des notes, pour pouvoir résumer ce qui est dit sur chacun des sujets présentés dans l'exercice A.

1. _____

2. _____

3. _____

4. _____

5. _____

6. _____

7. _____

8. _____

9. _____

10. _____

C. Ecoutez encore, vérifiez vos réponses à l'activité B et analysez les facteurs de stress qui peuvent être attribués spécifiquement à la vie moderne. Faites une liste de ces facteurs.

_____

_____

_____

_____

_____

_____

_____

_____

_____

A vous la parole

PHONETIQUE

Two "Rival" Consonants: [l], [r]

The French [l] is called **une consonne dentale.** This is because the French [l] is pronounced with the tip of the tongue pushing against the upper front teeth. English speakers need to push the tongue farther forward than usual to pronounce the French [l]. The position of the tongue is especially important when the [l] is the final sound of a word or phrase. In this position, the [l] in English is almost always "swallowed." In French, it must be completely pronounced.

The French [r], on the other hand, is called **une consonne postérieure.** A sound similar to the French [r] is the English [h]. To form the French *r,* as in **rat,** say *ha.* Then say *ha* again, this time touching the *back* of the tongue against the upper part of the back of your mouth (the soft palate). You will create a kind of trilling effect.

Now turn on the tape.

A. La physiologie de la phonétique. Ecoutez les mots suivants, puis prononcez-les.

1. l'épaule
2. le ligament
3. les cils

4. la gorge
5. le ventre
6. le cœur

7. les ongles
8. les lèvres
9. les bras

B. Vous avez mal partout! Vous entendrez les noms de plusieurs parties du corps. Répondez en disant que cette partie du corps vous fait mal. Attention aux consonnes [l] et [r].

MODELE: *Vous entendez:* la tête
Vous répondez: J'ai mal à la tête.

1. ...   2. ...   3. ...   4. ...   5. ...   6. ...

PAROLES ET STRUCTURES

A. Le corps, c'est une machine! Toutes les parties du corps servent à quelque chose. En fait, le corps est une machine miraculeuse. Identifiez les parties du corps qui assurent les fonctions suivantes.

MODELE: *Vous entendez:* Ces organes nous permettent de respirer.
Vous répondez: Pour respirer, on a les poumons.

1. ...   2. ...   3. ...   4. ...   5. ...

B. De quoi parle-t-on? Ecoutez cette jeune fille parler de certaines parties de son corps. Identifiez ces parties. Réponses possibles: *cheveux, cils, jambes, dents, lèvres, ongles.*

MODELE: *Vous entendez:* Les miens sont très bleus comme ceux de ma mère.
Vous répondez: Elle parle des yeux.

1. ...   2. ...   3. ...   4. ...   5. ...

C. Va-t-il vous reconnaître? Vous parlez au téléphone à un oncle que vous n'avez pas vu depuis dix ans. Vous allez vous rencontrer demain à la gare. Pour qu'il puisse vous reconnaître, répondez à ses questions (répétées deux fois).

1. ...   2. ...   3. ...   4. ...

D. Connaissez-vous Rodin? Auguste Rodin était un sculpteur français du dix-neuvième siècle. Regardez la photo d'une de ses sculptures, puis décrivez-la en répondant aux questions (répétées deux fois) par écrit.

1. _____
2. _____
3. _____
4. _____

E. Des faux jumeaux! Gabrielle et Robert sont jumeaux mais ce ne sont pas de vrais jumeaux (*identical twins*). Comparez-les en répondant aux questions.

Robert Gabrielle

1. ...   2. ...   3. ...   4. ...   5. ...

F . Des conseils! Ecoutez ces quatre personnes parler de leur régime. Donnez-leur des conseils pour améliorer leur état général. Chacun de vos conseils doit être sous la forme d'une comparaison. (Vous entendrez ensuite une des réponses possibles.)

MODELE: *Vous entendez:*   J'aime bien mon travail mais malheureusement, je n'ai pas le temps de manger un bon repas. Je suis au bureau toute la journée.
            Vous répondez: Travaillez moins.
            ou bien: Prenez plus de temps pour vos repas!

1. ...   2. ...   3. ...   4. ...

G . Qu'est-ce qui lui fait mal? Aujourd'hui votre camarade Marc ne va pas du tout bien. C'est parce qu'hier, il n'a pas été très sage. Ecoutez ce qu'il a fait hier, puis donnez les conséquences de ses actions. (Vous entendrez ensuite une des réponses possibles.)

MODELE: *Vous entendez:* Hier Marc a lu pendant six heures de suite.
            Vous répondez: Et aujourd'hui ses yeux lui font mal.

1. ...   2. ...   3. ...   4. ...   5. ...

Dictée

Vous entendrez la dictée deux fois. La première fois, écoutez. La deuxième fois, écrivez. Puis réécoutez le premier enregistrement pour corriger. A la fin, complétez la dernière phrase et répondez à la question.

— _____ !

— _____ .

— _____

— _____ .

— _____

_____ .

—Mais c'est pour _____ !

De quelle histoire s'agit-il?

    1. *Le Petit Chaperon rouge*   2. *La Belle et la bête*   3. *Les Trois Petits Cochons*

EXERCICES ECRITS

Paroles

A . Les mouvements corporels. Voici une liste de mouvements. A côté de chaque mouvement, écrivez une phrase qui contient deux ou trois parties du corps capables de ce mouvement. Variez autant que possible les parties du corps que vous choisissez.

MODELE: (croiser) → On peut croiser les bras, les mains et les jambes.

1. (écarter) _____

_____

2. (plier) _____

_____

3. (étendre) _____

_____

4. (battre) _____

_____

5. (toucher [avec]) _____

_____

B. **Le mal n'est jamais sans remède!** Complétez les phrases suivantes de façon originale. Faites attention de bien distinguer les différentes expressions.

1. Je me sens déprimé(e) quand _____

_____ .

2. J'ai toujours du mal à _____

parce que _____ .

3. Si j'ai mal à la tête ou à _____ ,

je _____ .

4. En ce qui concerne le stress, je sens que _____

_____ .

5. Quand _____ me fait mal, je

_____ .

6. Quand j'étais petit(e), je me suis fait mal à _____

en _____ .

C. **Cours d'anatomie pour débutants.** Imaginez que vous êtes responsable d'un cours d'anatomie pour débutants. Aujourd'hui vous voulez donner autant de précisions que possible sur trois parties du corps: la tête, le bras et le pied. Dressez un inventaire comportant tous les segments de ces trois parties du corps.

La tête est la partie supérieure du corps humain. Sur la tête on trouve _____

_____

_____

_____

_____

Le bras est le membre supérieur du corps humain. Il est composé de _____

_____

_____

_____

_____

Le pied est le membre inférieur du corps humain. Les parties du pied sont _____

_____

_____

_____

D. Le visage idéal. Peut-être connaissez-vous une personne dont le visage est «parfaitement beau». Sinon, imaginez un tel visage. Décrivez ce visage avec autant de détails que possible: la couleur des yeux, la forme du nez, la bouche, le teint de la peau (*complexion*), etc.

_____

_____

_____

_____

_____

_____

_____

_____

_____

E. La sculpture de Rodin (suite). Vous vous souvenez de la sculpture de Rodin (page 186). Pour satisfaire votre curiosité, sachez que cette sculpture a pour titre «Cathédrale». Ecrivez un petit paragraphe au sujet de ce titre: Est-il bien choisi? Pourquoi (pas)? Pourriez-vous proposer un autre titre aussi (ou plus) adéquat? Justifiez votre choix.

_____

_____

_____

_____

_____

_____

_____

Structures

A. La vie de tous les jours. Voici des phrases générales sur certains aspects de la vie quotidienne. A vous de les développer de façon personnelle en y rajoutant une phrase comparative et une phrase superlative.

MODELE: Je suis fatigué(e) le lundi. →
Je suis moins (aussi, plus) fatigué(e) aujourd'hui qu'hier.
Je suis toujours le (la) plus fatigué(e) le vendredi après-midi... mais jamais le vendredi soir!

1. Je suis stressé(e) à l'époque des examens finals.

_____

_____

_____

2. Je (ne) fais (pas) beaucoup de sport.

_____

_____

_____

3. Je me sens bien quand je termine mes devoirs.

_____

_____

_____

4. A mon avis, la natation (n')est (pas) bonne pour la santé.

_____

_____

_____

5. Le cholestérol a une mauvaise influence sur mon corps.

_____

_____

_____

B. Comptons les calories! Pour ceux qui font attention à la forme, il faut compter les calories. Savez-vous le faire? Complétez les phrases suivantes de façon originale.

1. _____ a beaucoup _____ calories.

2. _____ n'en a presque pas.

3. _____ a autant _____ calories _____

_____

4. _____ a plus _____ calories _____

_____

5. _____ a moins _____ calories _____

_____

6. De tout ce que je mange, c'est (ce sont) _____

_____ plus _____ calories.

7. De tout ce que je mange, c'est (ce sont) _____

_____ moins _____ calories.

C. Conseils. Que faut-il faire dans les situations suivantes? Répondez aux questions en utilisant les expressions entre parenthèses.

1. Vous voulez prendre des kilos. Que devriez-vous manger? (plus de / moins de) _____

_____

2. Vous avez besoin de plus d'exercice. Que pourriez-vous faire? (de plus en plus / de moins en

moins) _____

_____

3. Vous passez presque tout le week-end devant la télé et cela ne peut pas continuer. (Plus...,

moins...) _____

_____

4. Votre oncle vient d'avoir une crise cardiaque. Comment doit-il changer sa routine? (plus qu'avant / moins qu'avant) _____

_____

D. La vie «tout court». A partir des éléments donnés, complétez les phrases suivantes de façon originale. Evoquez différents aspects de votre vie.

MODELE: Plus..., moins... →
          Plus je fais du sport, moins je me fatigue facilement.

1. Plus..., plus...

_____

_____

2. Plus..., moins...

_____

_____

3. Plus..., mieux c'est!

_____

_____

4. Moins..., mieux c'est!

_____

_____

E. L'envers du décor. Richard n'est pas très sportif et il a beau essayer de changer (*he tries in vain to change*), il n'y arrive pas. Lisez son dernier compte-rendu et complétez-le avec une des expressions suivantes conjuguées au temps correct (présent ou passé).

Je viens de subir une heure d'aérobic et j'avoue que je

_____1 beaucoup mieux en arrivant qu'en sortant

de la salle. Comme d'habitude, le moniteur m'agaçait avec ses cris,

«écartez, redressez, enfoncez», et patati patata. Même avec ses petits

encouragements, il _____2 m'inspirer! En

fait, au cours d'un des exercices,

_____3 au dos et le

moniteur n'a pas pris cela très au sérieux. En plus, avant d'y aller,

_____4 au pied gauche et maintenant la

sentir
se sentir
avoir mal à
avoir du mal à
faire mal à
se faire mal à

douleur s'est généralisée: toute la jambe gauche

_____.⁵

    Tant pis! Ce soir je vais me régaler. Je prépare une escalope de

veau à la normande avec beaucoup de beurre, de crème et même

quelques gouttes de Calvados. Cela _____⁶ très

bon!

Chapitre 17

EXERCICES ORAUX

A l'écoute de la vie

AVANT D'ECOUTER

Quelles circonstances ou quels facteurs éveillent en vous les émotions suivantes?

1. la colère

_____

_____

2. le cafard

_____

_____

3. la peur

_____

_____

4. la joie

_____

_____

Ces mêmes questions ont été posées à une Française de soixante-dix-neuf ans. Ecoutez ses réponses.

A L'ECOUTE

A. Ecoutez une première fois pour voir si vous avez certaines réponses en commun avec la dame interviewée. Si oui, cochez les réponses que vous avez notées ci-dessus.

B. Ecoutez encore et indiquez le nombre de facteurs mentionnés pour chaque émotion, puis nommez ces facteurs.

COLERE	CAFARD	PEUR	JOIE
_____	_____	_____	_____
_____	_____	_____	_____
_____	_____	_____	_____
_____	_____	_____	_____
_____	_____	_____	_____

C. Ecoutez une autre fois et déduisez par le contexte le sens des expressions suivantes.

1. «une remarque qui ne convient pas»

   a. une parole méchante
   b. une phrase hors-contexte (*out of context*)
   c. l'emploi accidentel d'un mauvais mot

2. «un comportement assez louche»

   a. un regard bête
   b. une attitude suspecte
   c. une façon d'agir qui dénote un manque d'éducation

D. Ecoutez encore les passages nécessaires et expliquez...

1. ce que certains jeunes font pour causer de la peine à une personne âgée

   _____

   _____

2. ce qu'il y a de particulièrement effrayant dans les maladies circulatoires

   _____

   _____

E. Qu'est-ce qui vous surprend dans les réponses de Mme Bourhis? Expliquez votre réaction.

_____

_____

_____

_____

A vous la parole

PHONETIQUE

Imparfait or *conditionnel présent?*

In the last chapter, you practiced distinguishing the French and English [r] sounds. In this chapter, you are going to continue to practice the French [r].

Often this sound alone can distinguish a verb conjugated in the **imparfait** from the same verb conjugated in the **conditionnel présent.** Remember that the endings for the two tenses are the same and that the only difference is in the stem. If the stem ends with an [r] sound, the verb will be **conditionnel présent.** Compare:

imparfait	**conditionnel présent**
j'attrapais	j'attraperais
elle gardait rancune	elle garderait rancune
vous vous mettiez en colère	vous vous mettriez en colère

Now turn on the tape.

A. Gymnastique verbale. Transformez chacune des phrases suivantes, d'abord à l'imparfait, puis au conditionnel présent. (Repétez la réponse modèle.)

MODELE: *Vous entendez:* Je parle peu.
Vous répondez: Je parlais peu. Je parlerais peu.

1. ...   2. ...   3. ...   4. ...   5. ...

B. Formulez des hypothèses! Vous entendrez deux expressions verbales à l'infinitif. Conjuguez le premier verbe à l'imparfait et le second verbe au conditionnel présent. Utilisez la conjonction selon le modèle.

MODELE: *Vous entendez:* être fatigué(e), se coucher
Vous répondez: Si j'étais fatigué(e), je me coucherais.

1. être malade, avoir de la fièvre
2. avoir de la fièvre, attraper un rhume
3. éternuer, avoir le nez qui coule
4. avoir le nez qui coule, se moucher

PAROLES ET STRUCTURES

A. Sa vie n'est pas très gaie! Pauvre Anne! Tout va mal pour elle! Vous entendrez des phrases qui décrivent sa personnalité. Pour chaque phrase, répondez par une expression synonyme. Réponses possibles: *être malheureuse / déprimée / soucieuse / complexée / se fâcher.* (Vous entendrez ensuite une des réponses possibles; répétez-la.)

MODELE: *Vous entendez:* Anne craint tout.
Vous répondez: C'est vrai, elle a peur de tout.

1. ...   2. ...   3. ...   4. ...   5. ...

B. Ils sont tous enrhumés. Regardez le dessin de la salle d'attente d'un médecin généraliste, puis répondez aux questions. (Vous entendrez ensuite une des réponses possibles.)

Jean-Pierre Touquet   Monsieur Rambault   Madame Velin   Emilie Lavallée

1. ...   2. ...   3. ...   4. ...

C. Si vous étiez malade... Répondez aux questions suivantes de façon logique, selon le modèle. (Vous entendrez ensuite une des réponses possibles.)

MODELE: *Vous entendez:* Si vous aviez de la fièvre, où auriez-vous mal?
          Vous répondez: Si j'avais de la fièvre, j'aurais mal à la tête.

1. ...   2. ...   3. ...   4. ...

D. Maintenant à vous! Comment est votre état mental? Répondez aux questions de façon originale. Ecrivez votre réponse.

MODELE: *Vous entendez:* Quand avez-vous peur?
          Vous écrivez: J'ai peur quand j'ai très mal au dos sans raison.

1. _____

2. _____

3. _____

E. La politesse est une grande vertu. Ecoutez les phrases suivantes, puis dites-les d'une manière plus polie en mettant le verbe au conditionnel présent.

MODELE: *Vous entendez:* Pouvez-vous répéter la question?
          Vous répondez: Pourriez-vous répéter la question?

1. ...   2. ...   3. ...   4. ...   5. ...

F. Maintenant à vous! Si la possibilité d'un voyage en France se présentait, que feriez-vous? Pour décider, répondez aux questions suivantes. (Vous entendrez ensuite une des réponses possibles.)

1. ...   2. ...   3. ...

G. **Le bonheur manqué!** Vous allez entendre trois personnes qui se plaignent. Après chaque petit discours, composez une phrase qui explique le problème. Utilisez une expression avec le verbe *manquer*.

MODELE: *Vous entendez:* La circulation était impossible et quand je suis arrivée à la gare mon train était déjà parti.

Vous répondez: Elle a manqué son train.

1. ...   2. ...   3. ...

Dictée

Vous entendrez la dictée deux fois. La première fois, écoutez. La deuxième fois, écrivez. Puis réécoutez le premier enregistrement pour corriger. Ensuite, répondez à la question.

_____

_____

_____

_____

_____

_____

_____

_____

_____

Qui est la personne qui pense à haute voix de cette façon?

_____

EXERCICES ECRITS

Paroles

A. **Toutes sortes de sentiments.** Complétez les phrases suivantes selon le modèle.

MODELE: Une personne qui haït éprouve <u>de la haine.</u>

1. Une personne qui aime éprouve _____ .

2. Une personne amère éprouve _____ .

3. Une personne déprimée fait _____ .

4. Une personne _____ peut avoir un complexe d'infériorité.

5. Une personne inquiète éprouve _____ .

6. Une personne jalouse connaît _____ .

7. Une personne malheureuse éprouve _____ .

8. Une personne qui ne garde pas rancune est capable de _____ .

B. Vos émotions. Pour chacun des sentiments suivants, fabriquez une situation hypothétique qui pourrait faire naître en vous ce sentiment. Utilisez l'adjectif correspondant au nom.

MODELE: (la surprise) → <u>Si je gagnais 1.000.000 $ à la loterie, je serais surpris(e).</u>

1. (l'angoisse) _____

_____

2. (la colère) _____

_____

3. (la jalousie) _____

_____

4. (la joie) _____

_____

5. (le chagrin) _____

_____

6. (la peur) _____

_____

C. Guillaume le Conquérant (*William the Conqueror*). Regardez Guillaume: il a bien l'air conquis cette fois! Mais malgré toutes ses maladies, il n'a pas perdu son sens de l'humour et il sait qu'il va guérir peu à peu. A vous de faire un diagnostic-prognostic global en remplissant la grille suivante.

SYMPTOMES	MALADIE	REMEDE

D. **Que faire?** Utilisez un élément de chaque colonne pour composer une phrase selon le modèle.

MODELE: Si j'avais un rhume, je boirais du jus d'orange.

avoir le nez qui coule	chercher	beaucoup de Kleenex
attraper un rhume	avoir besoin de	des antibiotiques
souffrir d'une grippe	prendre	un médecin
éternuer et tousser	consulter	de l'aspirine
?	?	?

1. _____

   _____

2. _____

   _____

3. _____

   _____

4. _____

   _____

5. _____

   _____

E. **Un mauvais moment à passer.** Nous avons tous connu la maladie. Sans doute que vous vous souvenez d'une époque où vous êtes tombé(e) malade. Ecrivez un résumé au passé de votre expérience. Décrivez les symptômes, la (les) maladie(s) et les remèdes. Vous pouvez utiliser aussi l'exemple d'un membre de votre famille.

_____

_____

_____

_____

_____

_____

_____

_____

_____

_____

_____

Structures

A. Et si...? Complétez de façon originale mais personnelle les hypothèses suivantes en utilisant un verbe à l'imparfait ou au conditionnel présent, selon le cas.

1. Si j'avais le cafard, _____

   _____ .

2. Si mon meilleur ami (ma meilleure amie) avait un cancer, _____

   _____ .

3. Si j'attrapais un rhume à Paris, _____

   _____ .

4. Je serais très choqué(e) si _____

   _____ .

5. Ma mère serait très inquiète si _____

   _____ .

6. Je suivrais un traitement si _____

   _____ .

B. C'est bien d'être différent, non? Ressemblez-vous à Janine? Précisez les raisons de votre ressemblance avec elle ou de vos différences en suivant le modèle. Utilisez le conditionnel.

MODELE: Si Janine arrête l'école, elle sera heureuse. →
          Mais moi, si j'arrêtais l'école, je serais plutôt malheureux (malheureuse).
ou bien: Moi aussi, si j'arrêtais l'école, je serais heureux (heureuse).

1. Si toutes ses notes ne sont pas des A, Janine aura un complexe d'infériorité.

   _____

   _____

2. Si Janine ne trouve pas de job d'été, elle sera angoissée.

   _____

   _____

3. Si Janine est obligée de rester à la maison tout l'été, elle se mettra en colère.

   _____

   _____

4. Mais si on invite Janine à aller en France, elle sera inquiète.

   _____

   _____

5. Si Janine va en France, elle emportera trop d'affaires.

   _____

   _____

C. **Que feriez-vous si...?** Comment réagiriez-vous face aux situations suivantes? Pour répondre, composez une ou deux phrases au conditionnel.

1. Au cours d'un examen, si vous remarquiez que votre camarade Rachel trichait (*was cheating*) en copiant les réponses de sa voisine, que feriez-vous?

   _____

   _____

   _____

2. Si vous appreniez que votre camarade de chambre se droguait à la cocaïne, que feriez-vous?

   _____

   _____

   _____

3. Si un de vos copains buvait de plus en plus d'alcool, que feriez-vous?

   _____

   _____

   _____

4. Si un bon copain vous offrait 50 $ pour une copie d'un travail écrit que vous aviez fait l'an dernier, que feriez-vous?

_____

_____

_____

5. Si votre meilleure amie vous annonçait qu'elle était enceinte (*pregnant*), que feriez-vous?

_____

_____

_____

D. **«La philologie mène au pire»** (E. Ionesco, *La Leçon*). Complétez le texte suivant avec les verbes qui conviennent. N'utilisez chaque verbe qu'une seule fois.

C'est la fin du semestre et le professeur de français invite tous ses

étudiants chez lui pour une petite fête de Noël. Il va servir du vin qu'il

_____[1] de France et tous les étudiants

_____[2] quelque chose de français à manger. Un

des étudiants, Patrick, a dit qu'il _____[3] tous ses

camarades de classe car c'est le seul qui a une grosse voiture et le

professeur habite loin du campus.

apporter
emporter
rapporter
amener
emmener
ramener

Le prof n'est pas au courant mais ses étudiants lui préparent une

petite surprise. Après le repas, les étudiants lui banderont (*will

blindfold*) les yeux et Patrick l'_____[4] quelque

part dans sa voiture. Entretemps les autres étudiants mettront une

grosse bouteille de Champagne sous son sapin avec un petit mot: «A

boire quand vous corrigerez nos examens! Joyeux Noël!» Ensuite ils

partiront et ils _____[5] avec eux toute la nourriture

qui restera. Ils attendront Patrick qui les prendra devant la

bibliothèque, après _____[6] le prof chez lui.

E. Qui vous manque et à qui manquez-vous?

    1. Qui vous manque beaucoup en ce moment? (Est-ce une question indiscrète?) _____

    _____

    2. Pourquoi est-ce que cette personne vous manque? _____

    _____

    3. Est-ce que vous lui manquez aussi? _____

    _____

    4. A quelle autre personne est-ce que vous manquez probablement? _____

    _____

    5. Qui ne vous manque pas du tout? _____

    _____

F. **Autoportraits.** Composez deux autoportraits. Dans le premier, décrivez-vous comme vous êtes maintenant en précisant les émotions et sentiments que vous éprouvez le plus souvent. Dans le second, indiquez ce que vous éprouveriez si vous étiez autrement. Vous pouvez intituler vos paragraphes ainsi: «Je suis comme je suis...» et «Si je n'étais pas moi...»

    1. _____

    _____

    _____

    _____

    _____

    _____

    _____

    _____

    2. _____

    _____

    _____

    _____

    _____

Chapitre 18

EXERCICES ORAUX

A l'écoute de la vie

AVANT D'ECOUTER

Etude de mots. Utilisez le contexte des phrases suivantes pour déduire le sens des mots en italique, et écrivez l'équivalent en anglais.

1. Les trains roulent non pas sur des routes mais sur des *voies ferrées*. _____

2. J'ai un gros bleu sur le bras; mon bras est tout *meurtri*. _____

3. Ma main a commencé à *enfler*, c'est-à-dire devenir plus grosse. _____

4. Si le nerf d'une dent cassée est exposé, ou *à vif*, il faut *dévitaliser* la dent. _____

5. Une articulation qui est privée de mouvement devient *ankylosée* ou *raide*. _____

6. Après une visite chez le docteur, il faut payer la note, ou *la facture*. _____

A L'ECOUTE

A. Ecoutez une première fois et indiquez si ces phrases sont vraies (V) ou fausses (F).

    V   F

☐ ☐   1. L'accident a été causé par un train.

☐ ☐   2. Franciska avait la figure en sang.

☐ ☐   3. Elle était seule au moment de l'accident.

☐ ☐   4. Elle a appelé son professeur qui est venu la chercher.

☐ ☐   5. Elle est allée à l'hôpital avant d'aller chez le dentiste.

☐ ☐   6. Plus tard, elle est allée voir un spécialiste des os.

☐ ☐   7. Un plâtre n'était pas conseillé pour sa condition.

☐ ☐   8. Deux dentistes différents se sont occupés de Franciska.

☐ ☐   9. Au moment de la conversation, Franciska n'a toujours pas sa couronne.

☐ ☐ 10. Selon Franciska, les conséquences financières de l'accident sont plus graves que les blessures.

B . Ecoutez encore en prenant des notes, puis résumez ce qui s'est passé.

1. lieu et circonstances de l'accident

   _____

2. personnes présentes

   _____

3. blessures

   PARTIE DU CORPS   PROBLEME

   _____   _____

   _____   _____

   _____   _____

4. ordre chronologique et nature des soins reçus, avec tous les détails possibles

   _____

   _____

   _____

   _____

   _____

5. recommandations de l'orthopédiste

   _____

   _____

6. deux choses que Franciska ne peut plus faire pour le moment

   _____

A vous la parole

PHONETIQUE

Unaspirated Consonants

The three consonant sounds [p], [t], and [k] are articulated differently in English and in French. In English these sounds are called plosives (or explosives). This name comes from the fact that during the articulation of the sounds, there is often a sudden release of breath, causing a little "explosion" of air.

In French, the sounds are articulated without this release of air. Hold your hand in front of your mouth and pronounce these consonants. You should not feel any air; if you do, you are partially aspirating the consonants.

To help you pronounce [p], [t], and [k] with no aspiration, keep the following fact in mind. In English, when any one of these sounds is preceded by an /s/, there will be no aspiration. This will show you what it feels like to produce an unaspirated consonant.

Now turn on the tape.

A. Non à l'aspiration! Ecoutez, puis prononcez les paires de mots suivantes. Attention aux consonnes non-aspirées, surtout dans le second mot de chaque paire.

1. sport / port
2. spécial / partial
3. spectacle / réceptacle

4. stable / table
5. station / tantine
6. statue / étape

B. Un médecin peu compétent. Ecoutez les phrases suivantes, puis transformez-les en utilisant le conditionnel passé du verbe *devoir*. Attention aux consonnes non-aspirées.

MODELE: *Vous entendez:* Le médecin n'a pas examiné le patient.
          Vous répondez: Pourtant, il aurait dû examiner le patient.

1. ...   2. ...   3. ...   4. ...

Paroles et structures

A. Vocabulaire de l'hôpital. Ecoutez les définitions suivantes, puis identifiez ce dont on parle. Commencez votre réponse par *Il s'agit d'un(e)...*

1. ...   2. ...   3. ...   4. ...   5. ...

B. Toutes sortes d'accidents! Vous allez entendre parler cinq personnes accidentées. Pour chaque cas, composez une petite phrase qui explique comment cette personne s'est blessée. Utilisez le verbe *devoir* au passé composé suivi d'un des infinitifs proposés. Infinitifs: *vous brûler, vous fouler la cheville, vous casser la jambe, vous casser le bras, vous cogner, vous couper.*

MODELE: *Vous entendez:* C'était un accident de cuisine. J'ai renversé une sauce très chaude sur ma
          main gauche.
          Vous répondez: Vous avez dû vous brûler.

1. ...   2. ...   3. ...   4. ...

C. Le matin à la résidence. Regardez ce dessin. C'est une salle de bains dans une résidence universitaire. C'est le matin et les étudiantes font leur toilette. Répondez aux questions. (Vous entendrez ensuite une des réponses possibles.)

1. ...   2. ...   3. ...   4. ...   5. ...

D. **Maintenant à vous!** Répondez aux questions suivantes au sujet de vos habitudes concernant l'hygiène.

1. ...   2. ...   3. ...   4. ...

E. **Vous l'avez échappé belle!** Vous auriez facilement pu avoir un accident de ski pendant vos vacances de neige. Vous allez entendre des phrases au conditionnel présent. Mettez chacune au conditionnel passé. (Répétez la réponse modèle.)

MODELE: *Vous entendez:* Je saignerais beaucoup.
           Vous répondez: J'aurais beaucoup saigné.

1. ...   2. ...   3. ...   4. ...   5. ...

F. **Qu'est-ce que vous auriez fait si...?** Ecoutez les questions suivantes au sujet d'une anecdote qu'heureusement, vous n'avez pas vécue. Répondez-y logiquement en utilisant un verbe au conditionnel passé. (Vous entendrez ensuite une des réponses possibles.)

1. ...   2. ...   3. ...   4. ...

G. **Maintenant à vous!** Ecoutez les questions suivantes. Faites attention au sens des verbes utilisés—*pouvoir, vouloir, devoir*—et au temps des verbes. Ecrivez vos réponses.

1. _____

2. _____

3. _____

4. _____

Dictée

Vous entendrez la dictée deux fois. La première fois, écoutez. La deuxième fois, écrivez. Puis réécoutez le premier enregistrement pour corriger. (**points de suture** = *stitches*)

_____

_____

_____

_____

_____

_____

_____

_____

_____

EXERCICES ECRITS

Paroles

A. **Le personnel médical: qui fait quoi?** Voici une liste de personnes du milieu médical. Pour chaque personne, indiquez deux de ses activités professionnelles.

MODELE: (un spécialiste) →
examiner des patients dont la maladie correspond à sa spécialisation
s'entretenir (*consult*) avec d'autres médecins

1. (un généraliste)

_____

_____

2. (une infirmière à l'hôpital)

_____

_____

3. (un chirurgien)

_____

_____

4. (un dentiste)

_____

_____

5. (un[e] pharmacien[ne])

_____

_____

B. **A quoi servent toutes ces choses?** Dans une phrase, donnez la fonction de chacun des articles suivants.

MODELE: (le plâtre) →
Le plâtre protège une jambe ou un bras cassé.

1. (des béquilles) _____

_____

2. (une couronne) _____

_____

3. (le savon) _____

_____

4. (le fil dentaire) _____

_____

5. (le shampooing) _____

_____

6. (une serviette de bain) _____

_____

C. **Subir les conséquences.** Complétez les phrases suivantes de façon logique en respectant la concordance des temps.

MODELE: Si j'avais un abcès, <u>un dentiste m'arracherait la dent.</u>

1. Si je me brûlais le bout de la langue, _____

_____ .

2. Si je me coupais le doigt, _____

_____ .

3. Si je me cognais la tête contre un mur, _____

_____ .

4. Si je me cassais la jambe, _____

_____ .

5. Si je buvais quatre litres de bière, _____

_____ .

6. Si j'avais une crise de nerfs, _____

_____ .

D. **Comme vous voulez.** Complétez les phrases de façon personnelle.

1. Je n'ai jamais pu _____

_____ .

2. Quand j'étais petit(e), je voulais _____

_____ .

3. L'autre jour, j'ai voulu _____ ,

mais _____ .

4. Si j'avais pu _____

_____.

5. Si j'avais voulu _____

_____.

6. Un jour, je voudrais bien _____

_____.

E. Votre trousse de toilette. Imaginez que vous êtes dans un avion en route pour un village d'Afrique Centrale, où vous allez passer deux mois. Faites un inventaire de tous les articles de toilette et de tous les produits de beauté que vous auriez mis dans votre trousse de toilette. Expliquez les raisons de votre choix.

_____

_____

_____

_____

_____

_____

_____

_____

_____

Structures

A. Toutes sortes de suppositions et d'hypothèses. Utilisez les éléments suivants pour construire trois phrases: (a) une supposition à compléter; (b) une hypothèse au présent; (c) une hypothèse au passé. Respectez la concordance des temps.

MODELE: (je) prendre une douche froide →
a.   Si je prends une douche froide, je me sentirai plus calme.
b.   Si je prenais une douche froide, je me sentirais plus calme.
c.   Si j'avais pris une douche froide, je me serais senti(e) plus calme.

1. (elle) se brosser les dents avec du shampooing

a. _____

b. _____

c. _____

2. (tu) avoir un gros bouton sur le nez

a. _____

b. _____

c. _____

3. (je) me casser le petit doigt

a. _____

b. _____

c. _____

4. (le médecin) prescrire une cure de jus de carottes

a. _____

b. _____

c. _____

B. Si vous aviez été la dame en violet... Vous souvenez-vous de la pauvre dame en violet dont le Dr Knock s'était bien moqué? Si vous aviez été à sa place, auriez-vous été plus «sage»? Complétez les phrases suivantes de manière originale.

1. Si le Dr Knock m'avait posé des questions sur l'état de mes finances, _____

_____ .

2. Si le Dr Knock m'avait dit que j'avais les artères du cerveau en tuyau de pipe, _____

_____ .

3. Si le Dr Knock m'avait fait le diagnostic de l'araignée, _____

_____ .

4. Si le Dr Knock m'avait proposé une cure de deux ou trois ans, _____

_____ .

5. Si le Dr Knock m'avait prescrit des somnifères, _____

_____ .

6. Si le Dr Knock m'avait demandé de revenir le lendemain, _____

_____ .

C. **Le bilan de l'an dernier.** Il est important de pouvoir faire une autocritique, de reconnaître ses erreurs et de se donner des conseils. Dressez d'abord une liste de vos regrets (*J'aurais dû...*), puis composez une liste de conseils pour le présent et l'avenir afin d'éviter les mêmes erreurs ou d'autres (*Je devrais...*).

_____

_____

_____

_____

_____

_____

_____

_____

_____

_____

_____

_____

_____

_____

_____

_____

_____

_____

D. **Le bilan du mois dernier.** Rédigez un paragraphe où vous décrivez les buts que vous vous êtes fixés le mois dernier et ce que vous avez finalement accompli (ou non). Utilisez les verbes *vouloir* et *pouvoir*, conjugés au *passé composé* (formes affirmative et négative). Rappel:

j'ai voulu = j'ai essayé de	je n'ai pas pu = je ne suis pas arrivé(e) à
je n'ai pas voulu = j'ai refusé de	pouvoir (au p.c.) = réussir à
j'ai pu = j'ai réussi à	ne pas pouvoir (au p.c.) = ne pas réussir à

_____

_____

Thème VII

Chapitre 19

EXERCICES ORAUX

A l'écoute de la vie

Maintenant que vous arrivez à la fin du cours, êtes-vous prêt(e) à écouter une conversation authentique «à froid»? Il n'y a pas de section préparatoire, **Avant d'écouter,** dans les chapitres suivants.

A L'ECOUTE

A. Ecoutez une première fois et cochez les sujets traités dans la séquence sonore.

___ position de la France vis-à-vis de la Martinique

___ problèmes d'intégration des Noirs venus d'Afrique

___ concept d'être «différent»

___ les immigrés arabes en France

___ le rôle de la langue dans le racisme

___ le racisme dans les écoles françaises

___ l'attitude des Arabes vis-à-vis de Le Pen

___ la France comme terre d'accueil

B. Ecoutez encore en vous concentrant sur tous les détails qui concernent Guilaine, la jeune fille interviewée. Prenez des notes, puis servez-vous de ces notes pour répondre à la question.

NOTES

1. âge de Guilaine _____

2. lieu de résidence _____

3. race _____

4. origines de sa famille _____

5. deux raisons pour lesquelles elle se sentait différente des autres _____

_____

6. incident raciste dans sa vie _____

_____

7. deux facteurs qui lui ont permis d'être acceptée et qui la distinguaient des immigrés _____

_____

QUESTION

Pourquoi Guilaine sentait-elle qu'elle avait «quelque chose à prouver»? Comment l'a-t-elle fait?

_____

_____

_____

_____

C. Concentrez-vous maintenant sur le problème des immigrés arabes. Ecoutez encore la deuxième moitié de l'interview en prenant des notes, puis répondez à la question.

NOTES

1. problème principal des enfants d'immigrés _____

_____

_____

2. «scandale» des années soixante-dix à Paris _____

_____

_____

3. facteur culturel important, autre que la langue _____

_____

4. attitude des enfants français par rapport aux enfants d'immigrés dans les écoles _____

_____

5. cause des préjugés chez les jeunes, selon Guilaine _____

_____

_____

QUESTION

D'après cette interview, comment expliquez-vous le racisme contre les immigrés arabes en France?

_____

_____

_____

_____

_____

_____

D. Concentrez-vous cette fois sur la fin de l'interview et répondez.

1. La conclusion de Guilaine que la France est une terre d'accueil est basée sur...

   a. la comparaison avec d'autres pays
   b. une impression qu'elle avait déjà avant de voyager
   c. sa désapprobation des activités de Le Pen

2. Guilaine a peur...

   a. que les réfugiés politiques ne puissent plus être accueillis en France
   b. que l'Ayatollah Khomeini retourne en France
   c. que la France ne soit pas assez sélective en ce qui concerne les réfugiés politiques

A vous la parole

PHONETIQUE

Three Voiced Consonants: [b], [d], [g]

In the last chapter, you practiced three unvoiced consonants: [p], [t], and [k]. In this lesson, you will work on the three corresponding voiced consonants: [b], [d], and [g].

When you are pronouncing a voiced consonant, the vocal cords vibrate. For example, the difference between [p], an unvoiced consonant, and [b], its voiced equivalent, is that the vocal cords vibrate when you say [b].

When pronouncing voiced sounds in French, you should feel a stronger vibration on your throat than when you are producing the corresponding sounds in English.

Now turn on the tape.

A. Des consonnes sonores et non-sonores. Ecoutez les paires de mots suivantes, puis répétez-les. Faites attention de bien distinguer les consonnes sonores des non-sonores.

1. bain / pain
2. bu / pu
3. abandon / apostrophe
4. don / ton
5. du / tu
6. endetté / entêté

B. De tous les coins du monde. Les phrases que vous allez entendre indiquent la nationalité de six personnes. A vous de trouver le nom des pays de ces personnes. (Répétez ensuite la réponse modèle.)

MODELE: *Vous entendez:* Pierre est français.
Vous répondez: C'est vrai, il vient de France.

1. ...   2. ...   3. ...   4. ...   5. ...

C. Connaissez-vous les capitales du monde francophone? Voici une petite liste de capitales du monde francophone. Choisissez la capitale correcte pour répondre aux questions suivantes. Possibilités: *Bruxelles, Rabat, Berne, Dakar, Alger, Québec.*

1. ...   2. ...   3. ...   4. ...   5. ...

PAROLES ET STRUCTURES

A. **L'état civil, ce n'est pas toujours facile!** Ecoutez ces personnes décrire leur état civil, puis identifiez leur état civil à partir des catégories suivantes: *citoyen(ne), réfugié(e) politique, étranger (étrangère), résident(e) illégal(e), émigré(e), immigré(e).*

MODELE: *Vous entendez:* Monique est née en France et elle y habite toujours.
Vous répondez: Monique est citoyenne française.

1. ... 2. ... 3. ... 4. ... 5. ...

B. **Vocabulaire des travailleurs immigrés.** Donnez le nom qui correspond à chacune des définitions suivantes (répétées deux fois).

MODELE: *Vous entendez:* C'est quelqu'un qui se croit supérieur aux membres d'autres races.
Vous répondez: C'est un raciste.

1. ... 2. ... 3. ... 4. ... 5. ...

C. **Que faire?** Voici des situations peu enviables où il faudrait vous mettre en contact avec des agents de l'Autorité. Répondez aux questions en indiquant *où* il faudrait vous présenter ou bien *à qui* il faudrait vous adresser. Réponses possibles: *un gendarme, un agent de police, un tribunal, le commissariat de police.*

1. ... 2. ... 3. ... 4. ...

D. **Vous n'êtes pas d'accord!** Commentez les opinions suivantes sur les travailleurs immigrés en mettant les phrases affirmatives au négatif et les phrases négatives à l'affirmatif.

MODELE: *Vous entendez:* Je ne pense pas que ce soit une bonne idée.
Vous répondez: Je pense que c'est une bonne idée.

1. ... 2. ... 3. ... 4. ... 5. ...

E. **Maintenant à vous!** Ecoutez les phrases suivantes, puis commentez-les en commençant par *Je pense que...* ou *Je ne pense pas que...* Mettez le verbe à l'indicatif ou au subjonctif selon le cas. (Vous entendrez ensuite une des réponses possibles.)

1. ... 2. ... 3. ... 4. ...

F. **A l'aéroport Charles de Gaulle.** Vous entendrez quelques voyageurs qui passent par l'aéroport CDG. Ils vous indiqueront leur nom, leur provenance et leur destination. Faites une paraphrase selon le modèle.

MODELE: *Vous entendez:* Je m'appelle Michel. Mon point de départ, c'était New York; ma destination, c'est Nice.
Vous répondez: Michel arrive de New York et va à Nice.

1. ... 2. ... 3. ... 4. ...

G. Voyage de rêve. Imaginez que l'on vous propose un voyage autour du monde francophone. Regardez la carte ci-dessous et répondez par écrit aux questions.

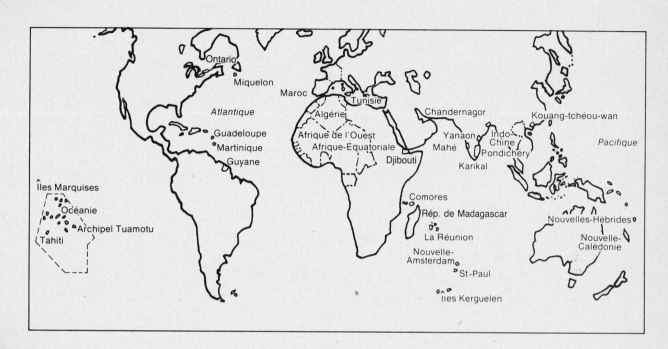

1. _____

_____

2. _____

_____

3. _____

_____

Dictée

Vous entendrez la dictée deux fois. La première fois, écoutez. La deuxième fois, écrivez. Puis réécoutez le premier enregistrement pour corriger.

_____

_____

_____

_____

_____

_____

_____

_____

_____

_____

EXERCICES ECRITS

Paroles

A. **Des différences importantes.** Lisez les explications suivantes concernant des personnes ou des phénomènes sociaux, politiques et économiques. Complétez-les avec le vocabulaire qui convient.

1. Une personne qui se prépare à quitter son pays d'origine pour vivre ailleurs est

   _____ mais une personne qui s'est déjà installée dans un autre pays est

   _____.

2. Un ensemble de personnes qui se différencie des autres ensembles par des caractères physiques

   héréditaires est _____; un groupe de personnes réunies par un territoire, une

   langue, des traditions est _____.

3. Le fait de mépriser un groupe social et de le considérer inférieur aux autres est une attitude de

   _____; le fait de privilégier son groupe national et de le considérer supérieur à

   toute autre nationalité est une attitude de _____.

4. Le montant des salaires, des intérêts et des rentes qu'une personne reçoit constitue

   _____; la somme calculée sur ce montant que la personne doit rendre à l'état

   s'appelle _____.

5. Une démonstration publique et pacifique de la volonté ou des opinions d'un groupe donné s'appelle

   _____ mais si la démonstration devient très violente, c'est

   _____.

6. Un policier qui travaille dans une municipalité (ville, village, commune) est

   _____; celui qui travaille au niveau national, sur les routes par exemple, est

   _____.

B. **La vie en société.** Exprimez vos opinions sur la société américaine en complétant les phrases suivantes. Ajoutez autant de détails que possible.

1. En principe, tous les Américains, y compris les étrangers qui habitent le pays, ont le droit de _____

_____

_____.

2. Les étrangers n'ont pas droit à _____

_____

_____.

3. Certains Américains craignent la concurrence des _____

_____ parce que _____

_____.

4. A mon avis, la menace la plus importante aux Etats-Unis est _____

_____

_____.

5. Les immigrés qui s'intègrent le mieux dans la société américaine sont ceux qui _____

_____

_____.

C. **Problèmes sociaux.** Donnez un exemple qui illustre chacun des phénomènes suivants.

MODELE: (un conflit racial) →
La confrontation haineuse et parfois violente des travailleurs immigrés hispaniques et des nationalistes américains est un exemple de conflit racial.

1. (une attitude raciste) _____

_____

_____

2. (l'intolérance) _____

_____

_____

3. (l'injustice) _____

_____

_____

4. (une menace à l'ordre public) _____

_____

_____

5. (un mauvais critère de jugement) _____

_____

_____

D. Une ethnie américaine. Pensez-vous qu'il soit juste de parler d'un groupe ethnique américain? Sur une autre feuille de papier, donnez sept ou huit raisons pour votre opinion.

E. Une ethnie américaine (suite). A partir de votre liste (exercice D), construisez un argument pour soutenir votre point de vue. Utilisez les *Suggestions pour développer un argument* (activité G de votre livre) et les idées présentées à la page 437 de votre livre (**Par écrit: Argument**).

F. La situation en Afrique du Sud. Voici deux incidents, datant de 1987, qui illustrent l'apartheid en Afrique du Sud. Que ce soit hier, aujourd'hui ou demain, comment explique-t-on ce genre de discrimination, et comment peut-on y remédier? Inspirez-vous des expressions suggérées pour exprimer votre opinion.

Toujours dans la capitale, quelques jours auparavant, trois militaires en permission, dont un Indien, veulent emprunter le même autobus. Malgré des pourparlers, le jeune Indien de dix-neuf ans, Nicolas Narayansamy, ne pourra prendre place dans le véhicule avec ses amis. Un porte-parole de la municipalité donnera raison au chauffeur (Blanc) qui n'a fait qu'appliquer la loi qui stipule que les autocars municipaux sont réservés exclusivement aux Blancs. Comme l'a fait remarquer le père de l'un des camarades de Nicolas, un Blanc: *«Tous sont bons pour aller se battre à la frontière, mais ils ne peuvent pas utiliser les mêmes moyens de transport.»*

Le 11 février, une famille indienne s'est vu interdire l'accès à une réserve naturelle de Pretoria, en raison de sa couleur de peau. M. Soobia Naidoo voulait montrer à l'un de ses enfants une variété d'arbre qu'il avait étudiée en classe. Humilié, M. Naidoo s'est alors rendu dans une boutique proche offrir à sa famille des glaces et des boissons. Il a pu se faire servir les glaces, mais pas les boissons, car le propriétaire n'a pas voulu que *«nous buvions dans ses verres».*

OPINION

Je (ne) pense (pas) que...	Il est vrai que...	Je proposerais / j'aurais proposé
Je (ne) trouve (pas) que...	C'est triste / normal que...	que...
Personnellement, il me semble	A mon avis, il faudrait / il	J'espère que...
que...	aurait fallu que...	A moins que...

Structures

A. Le voyage de Jean-Pierre Duclerc. Voici un compte-rendu d'un circuit en Amérique que Jean-Pierre Duclerc a fait l'été dernier. A vous de le compléter en rajoutant les prépositions et les articles nécessaires.

Moi, je viens _____¹ Brest, _____² Bretagne, _____³ la côte Atlantique. L'été dernier, j'ai

fait un merveilleux voyage _____⁴ Amérique. Je suis parti _____⁵ Paris _____⁶ New York où

j'ai passé quinze jours.

Ensuite, j'ai pris un autocar _____⁷ New York jusqu'_____⁸ Californie. Je suis arrivé

_____⁹ San Francisco et trois jours après, je suis descendu _____¹⁰ Los Angeles. _____¹¹ Los

Angeles, j'ai pris l'avion pour me rendre _____¹² Hawaï. Après une semaine splendide, je suis

revenu _____¹³ Californie, _____¹⁴ San Diego. J'y ai passé cinq jours; un jour, je suis allé

_____¹⁵ Mexique, qui est tout près de la frontière.

Après, j'ai pris l'avion pour aller _____¹⁶ San Diego _____¹⁷ Canada, très exactement

_____¹⁸ Toronto où j'ai découvert une ville moderne. Puisque j'avais aussi envie de visiter

_____¹⁹ Québec, une province francophone, je me suis rendu _____²⁰ Montréal et _____²¹ la

ville de Québec. Enfin, il a fallu retourner _____²² New York pour reprendre l'avion _____²³

Paris.

B. A votre avis: quels droits pour les immigrés? Utilisez une expression de chaque colonne pour formuler des phrases au sujet des droits des immigrés. Suivez le modèle.

MODELE: Je pense que les immigrés ont droit à un salaire égal pour un travail égal.

Il est probable que		avoir droit à
J'espère que		avoir le droit de
Il ne me semble pas que	les immigrés	vivre au dépens de
Il est bon que	ils	s'intégrer
C'est dommage que		s'adapter à
Je souhaite que		abuser de

1. _____

_____

2. _____

_____

3. _____

_____

4. _____

_____

5. _____

_____

6. _____

_____

C. **Une grève à l'université?** Imaginez que les étudiants de votre université se sont mis en grève (ce qui arrive de temps en temps dans le monde francophone), et que vous êtes un représentant officiel des étudiants auprès des professeurs et du recteur de l'université. En vue d'une rencontre, vous vous préparez à exprimer quelques-unes de vos idées. Complétez donc les phrases suivantes en faisant preuve d'imagination et de perspicacité.

1. Il est vrai que _____

_____

2. C'est dommage que _____

_____

3. Il nous semble que _____

_____

4. Nous souhaitons que _____

_____

5. Nous nous attendons à ce que _____

_____

6. Il serait juste que _____

_____

D. **L'intégration n'est pas toujours facile!** Imaginez que vous voulez donner des conseils à un(e) francophone qui va arriver à votre université dans le cadre d'un échange. Composez un paragraphe où vous donnez des conseils utiles à cette personne qui cherche à s'intégrer dans la société (universitaire) américaine. Utilisez la plupart des expressions et des mots suivants.

il est vrai que   quoique
il est peu probable que   à moins que
recommander que   à condition que
s'attendre à ce que   sans que

_____

_____

_____

_____

_____

_____

_____

_____

_____

_____

E. Le sexisme, y croyez-vous? Voici trois opinions sur le sexisme. A vous d'en choisir une et de dresser une liste des raisons pour lesquelles vous êtes pour ou contre. Ensuite, à partir de la liste, écrivez un petit essai où vous déroulez logiquement votre argument.

OPINIONS

1. Le sexisme n'existe vraiment pas.
2. Le sexisme est un «problème» déjà résolu.
3. Le sexisme continue à limiter les possibilités de développement ouvertes aux femmes.

OPINION A ANALYSER

_____

RAISONS POUR OU CONTRE

_____

_____

_____

_____

_____

_____

_____

ESSAI

_____

_____

_____

_____

_____

_____

_____

_____

_____

_____

Chapitre 20

EXERCICES ORAUX

A l'écoute de la vie

A L'ECOUTE

A. La séquence sonore que vous allez entendre est une interview d'un étudiant camerounais, Njamfa Patrick. Ecoutez-la une première fois pour vous habituer à l'accent, puis écoutez encore en cochant les sujets traités.

___ données (*data*) géographiques sur le Cameroun

___ données économiques

___ données historiques

___ rôle de la France pendant la colonisation

___ attitude des Anglais vis-à-vis de leurs anciennes colonies

___ comparaison avec le Canada

___ forme actuelle de gouvernement

___ différents partis politiques du Cameroun

___ le racisme au Cameroun

___ influence actuelle de la France

___ système d'éducation au Cameroun

___ rôle des anciennes traditions africaines

___ concept du temps

___ différence culturelle entre le Cameroun et les Etats-Unis

B. Ecoutez encore et indiquez si ces phrases sont vraies (V) ou fausses (F).

V   F

☐ ☐   1.   Bien qu'il y ait deux saisons distinctes au Cameroun, la température est à peu près constante toute l'année.

☐ ☐   2.   La plupart des ressources viennent du nord du pays.

☐ ☐   3.   Le cacao est une des ressources mentionnées par Patrick.

☐ ☐   4.   Le Cameroun a connu plusieurs maîtres coloniaux.

☐ ☐ 5. Le Cameroun est devenu indépendant en 1972.

☐ ☐ 6. Les Anglais ont gardé des liens très étroits avec le Cameroun.

☐ ☐ 7. Les Africains prennent de plus en plus les manières occidentales, même en ce qui concerne la ponctualité.

☐ ☐ 8. Selon Patrick, les Camerounais sont des êtres romantiques et sociaux.

C. Ecoutez encore la séquence sonore et *résumez* les points suivants.

1. Présentation initiale du Cameroun

   a. climat _____

   _____

   b. végétation _____

   _____

   c. ressources _____

   _____

2. Explication de la division politique et linguistique

   a. à l'origine _____

   b. période coloniale _____

   _____

   c. au début de l'indépendance _____

   _____

   d. actuellement _____

   _____

3. Attitude des Français et des Anglais vis-à-vis de leurs anciennes colonies, selon Patrick

   _____

   _____

4. Manifestations de l'influence française au Cameroun

   a. _____

   b. _____

   c. _____

d. _____

e. _____

5. Attitude des Camerounais vis-à-vis du temps

_____

_____

6. Attitude de Patrick vis-à-vis du temps

_____

_____

7. Ce qui manque le plus à Patrick quand il pense au Cameroun

_____

_____

A vous la parole

PHONETIQUE

Other Voiced Consonants

In this lesson, you will practice six consonant sounds: [ʒ] as in *jeune,* [m], [n], [ɲ], as in **monta*gn*e,** [v], and [z]. These are all voiced sounds.

Remember that voiced consonants are more resonant in French than in English. Make a conscious effort to use your vocal cords as you pronounce them.

Hints for Pronouncing Numbers

• **cinq/huit:** The final consonant is pronounced in isolated position (i.e., with no noun or number immediately following) and before a vowel or mute *h;* it is silent before another consonant.

   cin*q* arbres / cin*q* hommes / cinq̸ femmes / cinq̸ cents francs

• **six/dix:** The *x* is pronounced like an *s* in isolated position, like a *z* in liaison; it is silent before a consonant.

   J'en ai di*x* (=*s*) / di*x* amis (=*z*) / dix̸ camarades

• **neuf:** The *f* is pronounced like a *v* only before the words **ans** and **heures.**

   Il est neuf heures.

• **vingt:** The *t* of **vingt** is pronounced in numbers from twenty-one to twenty-nine (**ving*t*-deux, ving*t*-trois,** etc.); it is silent in numbers from eighty to ninety-nine (**quatre-ving̸-un, quatre-ving̸-deux,** etc.)

• **cent:** In pronunciation, always link **cent** with a noun that starts with a vowel or mute *h* (**cen*t* hommes**), but *never* link **cent** with a number (201 = deux cen̸ un).

Now turn on the tape.

A. **Vive la résonance!** Ecoutez les phrases suivantes, puis répétez-les.

1. De jeunes collégiens mangent du fromage dans le jardin.
2. J'ai mis toute une matinée à nettoyer ma maison.
3. Pierre a obtenu un diplôme d'art l'année dernière.
4. Les envahisseurs peuvent provoquer une révolte des esclaves.
5. Véronique viendra me rendre visite quand elle aura neuf ans.
6. Les dix hommes ont mis dix heures à consommer dix litres de bière.

B. **Jeu de phonétique: la famille Chauvin.** Ecoutez les questions suivantes et répondez-y. Prononcez bien les nombres en faisant les liaisons nécessaires. Faites attention aux consonnes sonores. (Répétez la réponse modèle.)

1. ...   2. ...   3. ...   4. ...

Paroles et structures

A. **Des personnages politiques.** Ecoutez les descriptions suivantes, puis identifiez la personne dont il s'agit. Possibilités: *une reine, un premier ministre, un colon, un dictateur, un sénateur, un(e) président(e).*

MODELE: *Vous entendez:* Je travaille à la Chambre des députés.
          Vous répondez: Il s'agit d'un député.

1. ...   2. ...   3. ...   4. ...   5. ...   6. ...

B. **Les ressources, où sont-elles?** Voici une liste de pays qui vous permettra de répondre aux questions suivantes.

en Chine   en Normandie
en Afrique du Sud   dans le sud des Etats-Unis
en Alsace et en Lorraine   en Arabie séoudite

1. ...   2. ...   3. ...   4. ...   5. ...   6. ...

C. **Prière d'un petit enfant nègre.** Imaginez les réponses du petit enfant nègre dans le poème de Guy Tirolien aux questions que vous entendrez. (Vous entendrez ensuite une des réponses possibles.)

1. ...   2. ....   3. ...   4. ...

D. **Votre «terre promise».** Nous avons tous un endroit préféré. Répondez par écrit aux questions suivantes au sujet de votre région préférée.

1. _____

2. _____

3. _____

4. _____

_____

E. **L'emploi du temps.** Ecoutez un groupe de camarades décrire des activités récentes ou habituelles. Ensuite, résumez leurs activités en utilisant un des mots suivants:

jour ≠ journée   soir ≠ soirée
matin ≠ matinée   an ≠ année

MODELE: (Michel)
            Vous entendez: Hier, j'ai passé quatre heures à la bibliothèque, de huit heures à midi.
            Vous répondez: Hier, Michel a passé toute la matinée à la bibliothèque.

1. (Bernard)   4. (Danielle)
2. (Louise)   5. (Robert)
3. (Patrick)

F. Bon ou mauvais? A vous de décider! Vous allez entendre des phrases qui décrivent des
événements historiques de ces dernières années. Commentez-les en commençant votre réponse par *Il est
bon que...* ou *Il n'est pas bon que...* (Vous entendrez ensuite une des réponses possibles.)

MODELE: *Vous entendez:*   François Mitterand a été réélu président de la République.
            Vous répondez: Il (n')est (pas) bon que François Mitterand ait été réélu président de la
                                 République.

1. ...   2. ...   3. ...   4. ...

G. Qu'en pensez-vous? Ecoutez les phrases suivantes, puis exprimez votre opinion en utilisant une des
expressions ci-dessous. Ecrivez vos réponses.

Je pense que...   Je ne suis pas sûr(e) que...
Je ne crois pas que...   Il est possible que...

MODELE: *Vous entendez:*   Certains pays africains ont fait des progrès depuis leur indépendance.
            Vous écrivez: Je ne suis pas sûr(e) que certains pays africains aient fait des progrès
                                 depuis leur indépendance.

1. _____

2. _____

3. _____

4. _____

5. _____

Dictée

Voici la réponse de Njamfa Patrick à une autre question qui lui a été posée, sur le conflit entre l'influence
occidentale et les traditions africaines au Cameroun. Vous entendrez la dictée deux fois. La deuxième fois,
écrivez. Puis réécoutez le premier enregistrement pour corriger. A la fin, composez deux questions
supplémentaires que vous auriez aimé poser à ce jeune étudiant camerounais. (La sorcellerie = *witchcraft*.)

_____

_____

_____

_____

_____

_____

_____

_____

_____

_____

(1) _____

(2) _____

EXERCICES ECRITS

Paroles

A. Connaissez-vous les minerais? A côté de chaque définition, écrivez le nom (avec article défini) du minerai en question.

1. «le plus précieux de tous les minerais» _____

2. le minerai qui a été très important dans la construction des voies pour les trains _____

3. un minerai «musical», à cause des instruments à vent qui en comportent _____

4. un minerai radioactif naturel _____

B. Savez-vous distinguer? Pour chacune des formes de gouvernement suivantes, donnez une petite définition, puis un exemple de pays ainsi gouverné.

1. (une démocratie socialiste) _____

_____

_____

2. (une république) _____

_____

_____

3. (une monarchie parlementaire) _____

_____

_____

4. (une dictature) _____

_____

_____

C. La crise d'énergie, vous connaissez? Selon certains, notre terre est déjà victime d'une crise d'énergie qui ne pourra que s'aggraver d'ici l'an 2000. Ils disent qu'il faut découvrir et puiser (= exploiter) des sources nouvelles d'énergie. Qu'en pensez-vous? Quelles sont les principales sources d'énergie à notre disposition aujourd'hui? A votre avis, lesquelles de ces sources faut-il exploiter et lesquelles faut-il éviter? Justifiez vos choix.

Les principales sources d'énergie sont _____

_____

_____

_____.

Les sources à exploiter sont _____

_____,

et les sources à éviter sont _____

_____.

Voici mon raisonnement: _____

_____

_____

_____

_____

_____

D. La terre et ses connotations. Dans les lectures de ce chapitre, vous avez examiné la connotation des mots. Bien évidemment, cette connotation diffère d'une personne à une autre, en fonction de ses expériences. Par exemple, la mer aurait des connotations très différentes pour le petit enfant nègre du poème de Tirolien et pour un jeune Parisien. Et vous? Quelles connotations attachez-vous aux expressions ou mots suivants? Essayez d'être un peu poète et faites preuve d'imagination!

MODELE: (la mer) →
         l'appel du large, l'infini, la solitude de la liberté et de l'emprisonnement

1. (une montagne) _____

_____

2. (un champ de blé) _____

_____

3. (un fleuve) _____

_____

4. (une plaine) _____

_____

5. (un pont) _____

_____

6. (une forêt de sapins [*pine*]) _____

_____

Structures

A. **Vos propres doutes.** Rien n'est sûr! Composez six phrases où vous révélez quelques-uns de vos doutes: deux au passé, deux au présent et deux au future. Utilisez une forme de *douter* + le subjonctif.

MODELE: (anti-romantique) →
(passé) Je doute que Nicole m'ait vraiment aimé.
(présent) Je doute que Marie m'aime encore.
(futur) Je doute que je comprenne l'amour.

1. _____

_____

2. _____

_____

3. _____

_____

4. _____

_____

5. _____

_____

6. _____

_____

B. **Et les regrets?** En suivant la même démarche, précisez six regrets—trois sur le passé et trois sur le présent ou le futur.

MODELE: (passé) C'est dommage que Nicole ne m'ait jamais aimé.
(futur) C'est dommage que l'amour soit si pénible.

1. _____

_____

2. _____

_____

3. _____

_____

4. _____

_____

5. _____

_____

6. _____

_____

C. Une personne comme il faut. Quelles sont les conditions pour être accepté(e) dans notre société? Complétez chaque phrase selon les indications données, puis indiquez si vous êtes d'accord ou non. Vous allez commencer par cette phrase: *On ne peut pas etre «une personne comme il faut» à moins que...*

MODELE: On a appris à porter des masques.
On ne peut pas être une personne comme il faut à moins qu'on ait appris à porter des masques; à mon avis, c'est faux (ou c'est vrai) parce que...

1. On a reçu une bonne éducation morale. _____

_____

_____

2. On a obtenu des diplômes académiques. _____

_____

_____

3. On s'est conformé aux normes de la majorité. _____

_____

_____

4. On est devenu «comme les autres». _____

_____

_____

5. ? _____

_____

_____

D. Des questions épineuses! Imaginez que vous faites partie d'un comité d'étudiants qui va interviewer les trois candidat(e)s à la présidence de votre université. Formulez cinq questions sur l'expérience passée des candidats et leurs projets pour l'avenir de l'université. Utilisez le mot entre parenthèses dans les questions. Faites preuve d'imagination et de perspicacité.

1. (temps) _____

_____

2. (fois) _____

_____

3. (moment) _____

_____

4. (époque) _____

_____

5. (année) _____

_____

E. Deux époques très différentes de votre vie. Mettez en contraste deux époques de votre vie qui ne se ressemblent pas du tout. Décrivez les moments décisifs de ces deux périodes. Quelle période préférez-vous et pourquoi? Essayez de bien exploiter le vocabulaire du temps.

_____

_____

_____

_____

_____

_____

_____

_____

_____

F. «Le temps se mesure par... la romance des astres avec la terre.» Le petit enfant nègre et le narrateur de «Solde» prétendent qu'ils n'ont pas besoin d'horloge ou de montre pour mesurer le temps. Et vous? Réfléchissez à votre conception du temps. Ensuite, écrivez un essai sur une autre feuille de papier où vous précisez comment le temps se mesure pour vous. Donnez des exemples des différentes «unités de mesure» dont vous vous servez: *heure(s), an(s) / année(s), époque(s), jour(s), moment(s).*

Chapitre 21

EXERCICES ORAUX

A l'écoute de la vie

A L'ECOUTE

A. Ecoutez une première fois cette interview d'une Québécoise et cochez les sujets traités. N'oubliez pas d'apprécier en passant l'accent...

___ attitude des francophones vis-à-vis des anglophones au Québec

___ l'hiver québécois

___ activités au Québec pendant les autres saisons

___ effets du climat sur la vie au Québec

___ situation politique au Québec dans les années 60-70

B. Ecoutez encore en faisant particulièrement attention aux détails qui concernent Johanne, et répondez.

1. De quelle partie du Québec Johanne est-elle originaire?

_____

2. Quand elle était à l'école, qu'est-ce qu'elle n'avait pas le droit de faire? Pourquoi?

_____

_____

3. La situation était-elle la même en dehors de l'école? Expliquez.

_____

_____

4. Pourquoi est-elle fière d'être Québécoise?

_____

_____

C. Concentrez-vous maintenant sur les détails qui concernent le climat au Québec, et répondez.

1. Quelle est la durée de l'hiver?

_____

2. Qu'est-ce qui nous donne une idée de la hauteur des bancs de neige sur le bord des routes?

_____

3. Qu'est-ce que les gens font pendant l'hiver?

à l'extérieur (quatre activités) _____

_____

à l'intérieur (cinq activités) _____

_____

4. Quel effet l'hiver québécois a-t-il sur les relations humaines?

_____

_____

5. Qu'est-ce que c'est qu'une tempête de verglas?

_____

_____

6. D'après le contexte du commentaire sur les érables, que veut dire le mot *sève*?

___ a. *syrup*　　　　　　　　___ c. *bark*

___ b. *sap*

A vous la parole

PHONETIQUE

The Semi-consonants [j], [w], [ɥ]

A semi-consonant is a vowel sound used as a consonant. As such, a semi-consonant will precede or follow another vowel sound.

The semi-consonant [j] is pronounced like the first sound in the word *yes*. In writing, it can be represented by the letters *i, y, il,* or *ill*. The following words contain [j]: **yeux, pied, fille.**

The semi-consonant [w] is pronounced like the first sound in the word *with*. In writing, it can be represented by the letters *ou, oy, oi,* or *oin*. The following words contain [w]: **oui, jouer, froid.**

The semi-consonant [ɥ] is pronounced just like the vowel represented by the same symbol except that, as a semi-consonant, it is pronounced more quickly and flows into the following vowel sound. In writing, it is represented by the letter *u* before another vowel sound. The following words contain [ɥ]: **lui, huit, fruit.**

Now turn on the tape.

A. Des voyelles et des semi-consonnes. Ecoutez les paires de mots suivantes, puis répétez-les en distinguant bien les voyelles et les semi-consonnes.

1. chêne / chienne
2. saine / sienne
3. sel / ciel
4. ma / moi
5. est / ouest
6. nage / nuage
7. frit / fruit
8. cite / suite

B. **Le temps au Québec.** Jouez le rôle d'un Québécois (ou d'une Québécoise) et répondez affirmativement aux questions suivantes sur le climat du Québec. Faites attention à la prononciation des semi-consonnes. (Répétez la réponse modèle.)

1. ...   2. ...   3. ...   4. ...

C. **Test de la Mère Nature.** Voici quelques questions pour tester vos connaissances de la nature. Répondez-y en faisant attention aux semi-consonnes. Réponses possibles: *un bruit, des nuages, un fruit, une abeille et un papillon.*

1. ...   2. ...   3. ...   4. ...

PAROLES ET STRUCTURES

A. **Des conditions atmosphériques.** Ecoutez les petites descriptions suivantes, puis identifiez le type de précipitation dont il s'agit. Réponses possibles: *de la pluie, le brouillard, une averse, de la grêle, une sécheresse, de la neige.*

MODELE: *Vous entendez:* C'est de l'eau qui tombe des nuages.
           Vous répondez: C'est de la pluie.

1. ...   2. ...   3. ...   4. ...

B. **Quelle saison est-ce?** Ecoutez les prévisions météorologiques suivantes, puis dites de laquelle des quatre saisons il s'agit.

1. ...   2. ...   3. ...   4. ...

C. **Maintenant à vous!** Quelle philosophie gouverne votre vie? L'idéalisme? Le scepticisme? Un mélange de plusieurs philosophies? Ecoutez les questions suivantes et écrivez votre réponse.

1. _____

2. _____

3. _____

4. _____

5. _____

D. **En même temps.** Voici une jeune Québécoise qui vous décrit ce qu'elle fait tous les matins en hiver. Joignez ses phrases selon le modèle.

MODELE: *Vous entendez:* Je prends mon petit déjeuner. En même temps, j'écoute la radio.
           Vous répondez: Tu écoutes la radio en prenant ton petit déjeuner.

1. ...   2. ...   3. ...

E. **Simultanéité: Qu'est-ce que vous faites?** Répondez aux questions en utilisant un participe présent. (Vous entendrez ensuite une des réponses possibles.)

MODELE: *Vous entendez:* Qu'est-ce que vous faites en écoutant la radio?
           Vous répondez: Je fais mes devoirs en écoutant la radio.

1. ...   2. ...   3. ...   4. ...

F. Sacrés insectes! Ecoutez les phrases suivantes, puis mettez-les à la voix active. (Répétez la réponse modèle.)

MODELE: *Vous entendez:* Un papillon a été attrapé par Monique.
Vous répondez: Monique a attrapé un papillon.

1. ... 2. ... 3. ... 4. ...

G. Vos décisions sont-elles les vôtres? Est-ce vous qui prenez toutes vos décisions ou est-ce que d'autres personnes ou d'autres «forces» interviennent de temps en temps? Répondez par écrit à chacune des questions selon le modèle. (N'oubliez pas la part du destin!)

MODELE: *Vous entendez:* Qui a choisi l'université où vous faites vos études?
Vous écrivez: C'est moi qui l'ai choisie.
Ou bien: Elle a été choisie par mes parents.

1. _____

2. _____

3. _____

4. _____

5. _____

Dictée

Vous entendrez la dictée deux fois. La première fois, écoutez. La deuxième fois, écrivez. Puis réécoutez le premier enregistrement pour corriger.

_____

_____

_____

_____

_____

_____

_____

_____

_____

EXERCICES ECRITS

Paroles

A. **Les quatre saisons chez vous.** Indiquez deux ou trois phénomènes météorologiques qui, pour vous, caractérisent les quatre saisons.

MODELE:　(l'hiver) →
　　　　　Pour moi, l'hiver, c'est le vent, c'est la pluie, c'est les nuages.

1.　(le printemps) _____

　　_____

2.　(l'été) _____

　　_____

3.　(l'automne) _____

　　_____

4.　(l'hiver) _____

　　_____

B. **Les quatre saisons au Québec.** Référez-vous aux photos à la fin de **Paroles** (**Chapitre 21**) et mettez en contraste le temps chez vous et au Québec. Ensuite dites quelle(s) saison(s) vous choisiriez pour visiter le Québec et quand vous préféreriez aller ailleurs.

_____

_____

_____

_____

_____

_____

_____

_____

_____

_____

C. Des insectes et des arbres comme métaphores! Le papillon est souvent associé avec une personne insouciante et volage (*flighty*). Pourriez-vous donner un sens métaphorique aux insectes et aux arbres suivants? Pensez à l'image qu'ils évoquent pour vous.

1. (une fourmi) _____

_____

2. (une abeille) _____

_____

3. (une mouche) _____

_____

4. (un moustique) _____

_____

5. (un chêne) _____

_____

6. (un sapin) _____

_____

D. Le parti québécois. Les lectures de ce chapitre vous ont donné des exemples de l'esprit et de l'identité culturelle de la population québécoise. Imaginez que vous animez un débat sur la viabilité du parti québécois (parti séparatiste) de nos jours. Un certain nombre de vos collègues vous proposent des idées pour déclencher le débat. En une ou deux phrases, résumez les idées de chacune de ces personnes.

1. (un idéaliste) _____

_____

_____

2. (un réaliste) _____

_____

_____

3. (un pessimiste) _____

_____

_____

4. (un optimiste) _____

_____

_____

5. (un sceptique) _____

_____

_____

E. Et aux Etats-Unis? La discrimination dont souffrent les Québécois est en partie linguistique. Evidemment, il existe des minorités aux Etats-Unis qui sont victimes du même type de discrimination. Choisissez un exemple de minorité, expliquez les raisons de la discrimination linguistique dont elle souffre et proposez des solutions au problème.

_____

_____

_____

_____

_____

_____

_____

_____

_____

_____

Structures

A. Des signes des saisons. Complétez les phrases suivantes selon le modèle. Utilisez des participes présents.

MODELE: Je vois arriver le printemps <u>en apercevant les bourgeons sur les arbres.</u>

1. Je sais que l'été est arrivé _____

_____.

2. Je salue l'automne _____

_____.

3. Je vois arriver l'hiver _____

_____.

4. Je sais que le printemps est arrivé _____

_____.

B. Le passage des saisons. Transformez les commentaires ci-dessous selon le modèle.

MODELE: Le français est parlé au Québec. →
          On parle français au Québec.

1. Des bonhommes de neige sont vus partout en hiver. _____

_____

2. Des bourgeons sont aperçus dès le mois de mars. _____

_____

3. La chaleur est rarement sentie avant la mi-juin. _____

_____

4. La moisson est faite à la fin de l'été. _____

_____

5. Le sirop d'érable est vendu au bord des routes en automne. _____

_____

C. Le paysage québécois. Mettez les phrases suivantes (qui sont très lourdes) à la voix active.

1. J'ai été impressionné par le paysage du Québec.

_____

2. En hiver, tout le terrain est couvert de neige et le froid est senti de novembre à avril.

_____

_____

3. Au printemps les champs sont préparés par les paysans et ensuite les graines sont semées par eux.

_____

_____

4. La chaleur de l'été est bien reçue par les Québécois et même les orages sont appréciés.

_____

_____

5. Et puis la moisson et la récolte sont faites par les paysans et les champs sont préparés pour l'hiver.

_____

_____

6. L'arrivée de l'automne est annoncée par les belles feuilles d'érable de toutes les couleurs.

_____

_____

D. L'exemple québécois. Les Québécois se fixent des buts tels que le respect et la préservation de leur identité francophone par le moyen de programmes politiques et socio-économiques.

Tout pays indépendant fait la même chose, bien entendu. Quels sont, à votre avis, cinq buts importants que les citoyens des Etats-Unis se sont donnés (ou devraient se donner)? Que faut-il faire pour les atteindre? Les Américains devraient-ils suivre l'exemple québécois et faire plus attention à la préservation? Ecrivez une ou deux phrases pour chaque but et moyen.

BUTS   MOYENS

1. _____   1. _____

   _____   _____

   _____   _____

2. _____   2. _____

   _____   _____

   _____   _____

3. _____   3. _____

   _____   _____

   _____   _____

4. _____   4. _____

   _____   _____

   _____   _____

5. _____   5. _____

   _____   _____

   _____   _____

Dans quel sens devrait-on suivre l'exemple québécois?

_____

_____

_____

_____

E. Le destin, y croyez-vous? La mythologie grecque voyait dans le destin une force supérieure aux dieux et une limite au libre arbitre des hommes. Et vous? Au cours de votre vie vous avez dû avoir l'impression d'être «victime du destin». Sur une feuille de papier, racontez un tel épisode, puis analysez les raisons de votre impression. Enfin, jugez votre impression: pourquoi était-elle vraie ou fausse?

REPONSES AUX EXERCICES

A NOTER: *Réponse modèle* indique la réponse correcte; *réponse possible* indique que d'autres réponses sont aussi possibles.

Chapitre 1

EXERCICES ORAUX

A l'écoute

B. fluo; 3 fois   **C.** bermudas; shorts; tee-shirts; blousons; marine; marron; fluos; classiques (ou neutres); coton; légères

Dictée Nom de la princesse: Blanche-neige (Snow White)

EXERCICES ECRITS

Paroles

A. *Réponses possibles:*   1. ...mais Paul est petit.   2. ...mais Michel est mince.   3. ...cheveux châtains frisés mais Paul a les cheveux blonds et raides.   4. ...Paul est gros et maladroit.   5. ...Paul porte des lunettes.
B. *Réponses possibles:*   1. fait des économies   2. dépense tout   3. travailleur   4. paresseux   5. ouvert (bavard)   6. refuse de faire ce que veulent les autres   7. laisse son frère tranquille   **C.** *Réponses modèles:*
1. son manteau et ses gants   2. imprimée   3. de chaussettes   4. un tailleur   5. un chemisier blanc   6. des bottes   7. un parapluie   8. une cravate   9. son imperméable   10. un jogging et un polo   11. de grosses chaussettes blanches

Structures

A. *Réponse modèle:*   Catherine est grande et belle. Elle est aussi dynamique et toujours active. En général elle n'est pas très travailleuse, mais au moment des examens elle devient très studieuse. Parfois elle est frivole et légère, surtout quand elle sort avec ses amis.   **B.** *Réponse modèle:*   Bertrand et Catherine sont grands et beaux. Ils sont aussi dynamiques et toujours actifs. En général ils ne sont pas très travailleurs, mais au moment des examens ils deviennent très studieux. Parfois ils sont frivoles et légers, surtout quand ils sortent avec des amis.   **C.** *Réponses modèles:*
1. longs   2. fluos   3. —   4. assortis   5. même   6. —   7. —   8. beiges classiques   9. —   10. très légères

Chapitre 2

EXERCICES ORAUX

Avant d'écouter

1. banlieue = *suburb*   2. mécanicien = *mechanic*   3. bêtise = *something stupid*   4. décédé = *deceased*

A l'écoute

A.   1. V   2. F   3. V   4. V   5. V   6. V   7. F   8. F   9. F   10. V

B.

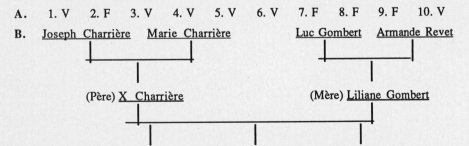

C.   1. Thierry: 26 ans, marié, un enfant   2. L'autre frère: 18 ans, étudiant   3. La mère de Yannick: employée de banque, habite dans la banlieue parisienne   4. Le père de Yannick: mécanicien, habite à Paris, voyage beaucoup en Afrique   5. Grands-parents: Joseph Charrière: vit dans les Alpes, veuf; Armande Revet: divorcée, remariée, vit dans les Alpes

Dictée: Drawing C corresponds to description in *dictée*.

Paroles et structures

F. *Réponses possibles:*   1. Nous sommes cinq dans ma famille.   2. Il y a mon père, ma mère, ma sœur, mon frère et moi. Mon père a ＿＿＿ ans, ma mère a ＿＿＿ ans, *etc.*   3. Mon père et ma mère travaillent à plein temps; moi, je travaille pendant l'été.   4. Mon père est mécanicien; ma mère est ingénieur.

EXERCICES ECRITS
Paroles

A. *Réponses modèles:*   1. toujours   2. parfois   3. Malheureusement   4. constamment   5. peut-être
B. *Réponses modèles:*   1. sont toujours claires   2. des photos en couleur   3. des diapositives   4. a le soleil dans les yeux   5. un album / leur portefeuille

Structures

A. *Réponses modèles:*   1. m'appelle   2. habite   3. est   4. correspond   5. viennent   6. semble   7. nous amusons   8. travaillent   9. part   10. me réveille   11. doit   12. a   13. obéit   14. nous entendons   15. adore   16. finissent   17. vont

Chapitre 3

EXERCICES ORAUX
Avant d'écouter

1. goûts   2. endroit   3. en bas âge   4. se rendre   5. niveaux   6. aménagement

A l'écoute

A.   1. V   2. V   3. F   4. V   5. F   6. F   7. F   **B.**   1. le prix, l'endroit (la situation)   2. goûts
C.

	oui	non	nombre	où? rez-de-chaussée	étage
Modèle: garage	X		1	X	
cuisine	✓		2	✓	✓
salle de bains	✓		2	✓	✓
salon	✓		1		✓
bureau		✓			
chambre	✓		4	✓	✓
buanderie (*laundry room*)	✓		1	✓	
cheminée	✓		1	✓	

Paroles et structures

B. *Réponses possibles:*   1. Il y a une cuisinière électrique, un frigo, et un lave-vaisselle.   2. Il y a un poste de télévision avec magnétoscope et la chaîne-stéréo de mes parents.   3. Il y a trois voitures dans la famille; elles sont à Papa, à Maman et à moi.   4. Dans ma chambre, il y a ma chaîne-stéréo, mon poste de télé et mon poste de radio.
5. Je veux avoir un ordinateur et un magnétoscope à moi.

EXERCICES ECRITS
Paroles

A. *Réponses possibles:*   1. on peut trouver un four à micro-ondes et un lave-vaisselle.   2. on peut trouver une table de nuit, une chaîne-stéréo et une commode.   3. on peut trouver un canapé, des fauteuils et un tapis oriental.
4. on peut trouver une machine à laver, un sèche-linge et des caisses de vin.   5. on peut trouver de vieux meubles et des valises.   **B.** *Réponses possibles:*   1. Dans le salon, on lit son journal et on prend le café après un grand dîner.
2. Dans la salle à manger, on prend le dîner et on parle avec les autres personnes à la table.   3. Dans la cuisine, on prépare les repas et on fait la vaisselle.   4. Dans la chambre, on s'habille et on dort.   5. Dans le bureau, on fait ses devoirs et on écrit des lettres.   **C.** *Réponses possibles:*   1. Une personne qui aime l'art du dix-neuvième siècle achète un tableau impressionniste.   2. Une famille qui aime faire du camping achète une caravane.   3. Un agent de voyages achète un ordinateur.   4. Une femme qui aime bien voir des films à la télé achète un magnétoscope.

5. Des amateurs de musique achètent des cassettes.   6. Un étudiant d'université qui aime rouler vite achète une voiture de sport.   **D.** *Réponse modèle:*   Mettez une table de nuit dans la chambre.

Structures

A.   1. La famille Leblon se lève à 10h tous les jours mais nous ne nous levons pas à 10h tous les jours.   2. La famille Leblon possède deux résidences secondaires mais nous ne possédons pas deux résidences secondaires.   3. La famille Leblon essaie de ne manger que des légumes mais nous n'essayons pas de ne manger que des légumes.   4. La famille Leblon envoie des cartes de visite pour le Nouvel An mais nous n'envoyons pas de cartes de visite pour le Nouvel An.   5. La famille Leblon préfère dîner à minuit mais nous ne préférons pas dîner à minuit.   6. La famille Leblon mange toujours sur la terrasse en hiver mais nous ne mangeons pas toujours sur la terrasse en hiver.   7. La famille Leblon jette son linge sale dans le jardin des voisins mais nous ne jetons pas notre linge sale dans le jardin des voisins.   **B.**   1. Où est-ce que les gens aiment dîner?   2. Quelle purée est-ce que les gens préfèrent? 3. Pourquoi est-ce que beaucoup de gens préfèrent la purée toute faite?   4. Quelle sorte de fromage est-ce que certains n'aiment pas?   5. Comment est-ce que les gens pensent que le lave-vaisselle lave les ustensiles?   6. Quand est-ce que les privilégiés utilisent un lave-vaisselle?   **C.**   1. Où les gens aiment-ils dîner?   2. Quelle purée les gens préfèrent-ils?   3. Pourquoi beaucoup de gens préfèrent-ils la purée toute faite?   4. Quelle sorte de fromage certains n'aiment-ils pas?   5. Comment les gens pensent-ils que le lave-vaisselle lave les ustensiles?   6. Quand les privilégiés utilisent-ils un lave-vaisselle?   **D.** *Réponses possibles:*   1. Depuis combien de temps est-ce que vous faites ce travail?   2. Préférez-vous interroger les gens dans la rue ou chez eux?   3. Quelles questions agacent les gens?   4. Pourquoi est-ce que vous passez votre temps à interroger les gens?   **E.** *Question modèle:* Quels appareils ménagers et électroniques possédez-vous?

Chapitre 4

A l'écoute

B.   1. Avec qui? grande sœur, copines; Où? à la maison, (salle de jeux); A quoi? à la poupée, papa / maman; Quand? après l'école, mercredi / jeudi.   2. Elles allaient au cinéma; elles allaient boire un pot au café.   3. a. livres d'aventures, de mystères   b. littérature: Zola, Balzac, Beckett, Sartre, Camus   4. obéissante, sage   **C.**   1. F 2. F   3. V   4. V

Paroles et structures

C. *Réponse modèle:*   1. Quand j'étais petit(e), ma grand-mère me gâtait.   **G.** *Réponse modèle:*   4. Mon père faisait du basket et ma mère faisait du tennis.

EXERCICES ECRITS

Paroles

A.   1. mal élevée   2. malpolie   3. obéissante   4. désobéissante   5. affectueuse   6. se battaient 7. grondaient   8. demandait pardon   9. punissaient   10. méchante   11. sage

Structures

A.   1. J'avais   2. J'étais   3. j'essayais   4. disaient   5. j'étais   6. avouaient   7. commençais   8. faisait 9. adorions   10. faisions   11. étions   12. faisions   13. m'ennuyait   14. J'étudiais   15. m'amusais 16. allait   17. organisait   18. c'était   19. écoutions   20. dansions

Chapitre 5

EXERCICES ORAUX

A l'écoute

A. 3, 1, 4, 2, 8, 5, 7, 6   **B.**   1. CP / Cours préparatoire   2. CE1 / Cours élémentaire première année   3. CE2 / Cours élémentaire deuxième année   4. CM1 / Cours moyen première année   5. CM2 / Cours moyen deuxième année **C.**   1. a. 2 ans, 3 ans   b. 6 ans   c. 11 ans   2. a. huit heures moins le quart   b. 8h30   c. 11h30   d. 2h e. 5h   3. a. dessin, choses matérielles   b. jouer au foot, discuter   4. géométrie, maths, poésie   5. Les autres élèves étaient nuls; Samuel était le meilleur.

Paroles et structures

A.   1. à l'école maternelle   2. à l'université   3. au collège   4. au lycée   5. à l'école primaire

D.   1. Vous êtes parti à l'école à 6h30 hier aussi?   2. Vous êtes arrivé à l'école en avance hier aussi?   3. Vous vous êtes ennuyé jusqu'à midi hier aussi?   4. Vous êtes rentré fatigué hier aussi?   **E.**   1. Moi non plus, je n'ai jamais écouté les explications.   2. Moi non plus, je n'ai jamais compris les rêves des enfants.   3. Moi non plus, je n'ai jamais reconnu la Chine de l'Arizona.   4. Moi non plus, je n'ai jamais été très raisonnable.

EXERCICES ECRITS

Paroles

A.   1. g   2. b   3. h   4. k   5. e   6. i   7. a   8. l   9. c   10. d   11. j   12. f   **B.** *Réponse possible:*   1. sa règle   **C.** *Réponse possible:* J'ai mérité une punition quand je me suis endormi en classe.

Structures

A.   1. nous avons répondu   2. Jean et Marc ont fini   3. je suis entré(e)   4. elle s'est levée   5. vous avez compris   6. tu as ouvert   7. Claude a dit   8. elles ont fait   9. j'ai été   10. tu as eu   11. nous avons mis   12. vous avez bu   13. ils se sont écrit   14. elle a connu   15. elles sont venues   16. nous avons couru   17. Nathalie est arrivée   18. je suis allé(e)   19. Nicolas est descendu   10. vous êtes sorti(e)(s)(es)   **B.** *Réponse possible:*   1. Non, je n'ai pas écouté ton compact-disc parce que je n'ai pas eu le temps.   **D.**   1. —   2. as   3. es   4. so   5. s   6. avon   7. —   8. s   9. avon   10. —   11. avon   12. —   13. avon   14. —   15. est   16. —   17. est   18. —   19. somme   20. —   21. o   22. —   23. avon   24. —

Chapitre 6

EXERCICES ORAUX

A. a, b, d, e, f, h   **B.**   1. c   2. a   3. e   4. b   5. f   6. j   7. i   8. h   9. d   10. g   **C.**   1. Faux. Seulement un pourcentage.   2. Faux. 7 1/2%.   3. Faux. 50 centimes, 1 F et 1F20.   4. Vrai   5. Vrai   6. Faux. 5 semaines.   7. Faux. La deuxième semaine.   8. Faux. Mercredi et vendredi jusqu'à 22h.

Paroles et structures

C. *Question possible:* Depuis quand habitez-vous à Trois-Rivières?

EXERCICES ECRITS

Paroles

A.   2. Elle a fait une demande d'emploi.   3. Elle a tout de suite envoyé son curriculum vitae.   4. Elle a expliqué ses qualifications au patron.   5. Elle a appris les heures de travail du patron.   6. Elle a demandé les détails du salaire au patron.   7. Elle a été très contente d'être embauchée.   8. Elle a enfin passé sa première journée au bureau.   9. Elle a été surmenée tous les jours de la semaine.   10. Elle n'a pas eu de congés.   11. Elle a très gentiment demandé une augmentation de salaire.   12. Elle s'est fâchée et a donné sa démission.   **D.** *Question possible:* Quelles étaient les heures de travail?   *Réponse possible:* J'ai travaillé de six heures du soir jusqu'à minuit le lundi, le mardi et le jeudi.

Structures

A.   1. Qu'est-ce que la grande vie?   2. De quoi Pouce et Poussy ont-elles besoin?   3. A qui Pouce et Poussy pensent-elles souvent?   4. Qu'a dit maman Janine?   5. Qui «les deux terribles» ont-elles rencontré à l'atelier de confection?   6. Qu'est-ce qui leur donne envie de voyager? (no short form)   **C.** *Question possible:* Laquelle des deux racontait le mieux l'histoire sans fin?   **D.** *Réponses possibles:*   1. —Lesquels cherchaient des assistants?   2. —Avec lesquels est-ce qu'elle voulait parler?   3. —Quelles questions as-tu trouvées les plus étranges?   4. —Avec laquelle as-tu parlé?   5. —Pour lequel est-ce qu'on t'a engagée?   **E.** *Question possible:*   1. Pour combien d'heures par semaine avez-vous besoin de quelqu'un?

Chapitre 7

EXERCICES ORAUX

A l'écoute

B.   1. F   2. V   3. F   4. F   5. F   6. V   **C.**   1. TF1   2. les films récents, les actualités sportives   3. l'adolescente: films, dessins animés, pubs; le monsieur: Top 50, films, informations   **D.** Différences: les coupures publicitaires: pendant les programmes sur les chaînes privées, seulement avant ou après les programmes sur les autres chaînes.

Paroles et structures

B. *Réponse possible:* 1. Moi, je préfère les feuilletons policiers. **G.** *Réponse possible:* 2. J'ai l'intention de passer du temps au rayon «Vidéocassettes».

EXERCICES ECRITS

Paroles

A. 1. la radio. 2. émissions 3. l'antenne 4. recevoir 5. parlée 6. quotidiens 7. magazines 8. les petites annonces 9. allume 10. des films 11. doublés 12. version originale **B.** *Réponse possible:* 1. Si on a envie de regarder une émission, on doit d'abord brancher la télé. **C.** *Phrase possible:* Ce week-end je compte écouter la radio.

Structures

A. 1. à 2. — 3. de 4. à 5. — 6. — 7. à 8. — 9. — 10. à 11. — 12. — 13. — 14. à **D.** (a) *Phrase possible:* J'adore me trouver à l'université mais je déteste être obligé(e) d'étudier le samedi.

Chapitre 8

EXERCICES ORAUX

A l'écoute

A. 1. 79 ans 2. 15-18 ans, 35-40 ans, âge de la retraite **B.** 1. bien choisir son métier, mariage, famille 2. continuer (améliorer) sa carrière 3. échapper à l'ennui **C.** 1. lycée et école normale d'institutrice 2. Etudes spéciales pour changer de cadre; professeur de collège, en lettres (littérature). 3. Ils se sentent rejetés; besoin de se sentir encore importants, et d'échapper à l'ennui. 4. *Relief.*

Paroles et structures

B. *Réponse possible:* 2. Oui, il y aura toujours beaucoup de pauvres dans les pays en voie de développement. **G.** *Réponse possible:* 3. On ne pourra jamais goûter un fromage par ordinateur.

EXERCICES ECRITS

Paroles

A. 1. le lancement 2. les astronautes 3. Des satellites 4. énergie 5. centrales nucléaires 6. déchets 7. aux armements 8. L'armée 9. la marine 10. l'armée de l'air 11. le chômage 12. des pauvres 13. des ghettos **B.** *Réponse possible:* 2. servira les repas et désservira la table après. **C.** *Réponse possible:* 1. prendrai mon engin spatial et m'en irai passer le week-end sur la lune.

Structures

A. 1. irons 2. sera 3. verrons 4. arriverons 5. viendront 6. recevront 7. essaierons 8. fera 9. découvrirons 10. aurons 11. devrons 12. appellerons 13. nous mettrons **E.** *Réponse possible:* 4. En l'an 2000, je passerai mes vacances sur la lune.

Chapitre 9

EXERCICES ORAUX

Avant d'écouter

A. 1. c 2. d 3. a 4. b 5. g 6. e 7. h 8. f **B.** les études supérieures de commerce

A l'écoute

A. 2, 1, 3, 5, 4 **B.** 1. V 2. F 3. F 4. F 5. V 6. V 7. F 8. V

Paroles et structures

G. *Réponse possible:* 1. Oui, je suis content d'avoir passé tous mes examens de mi-session. **H.** *Réponse possible:* 4. Il vaut mieux que j'étudie plusieurs langues étrangères.

EXERCICES ECRITS
Paroles

A. 1. le collège d'enseignement technique   2. l'université   3. l'université   4. le lycée   5. l'université   6. une grande école   **B.** chirurgienne, infirmière, technicienne, administratrice

Structures

A. 1. Il faut qu'elle soit sûre....   2. Il faut qu'elle reconnaisse....   3. Il faut qu'elle aille parler....   4. Il faut qu'elle ait...   5. Il faut qu'elle sache poser....   6. Il faut qu'elle sache bien choisir....   7. Il faut qu'elle fasse....
C. *Phrase possible:* Avant de penser à sa carrière, une femme doit toujours s'occuper de son mari et de ses enfants.

Chapitre 10

EXERCICES ORAUX
Avant d'écouter

1. c   2. d   3. b   4. a   5. f   6. h   7. g   8. e

A l'écoute

A. 1. F   2. F   3. V   4. F   5. V   6. F   7. V   8. F   **B.** 1. un camping-car   2. à Briançon (faire du ski)   3. d'en face   4. L'autre voiture roulait très vite. Elle est venue nous accrocher dans un virage.   5. Non, pas de blessés.   6. Le côté gauche du camping-car est tout enfoncé.   7. Il s'est échappé dans les champs.   8. deux   9. Le fait que le conducteur et son compagnon essayaient de s'échapper.   10. Oui. Les passagers du car qui est arrivé derrière nous.   **C.** 1. pas de permis   2. voiture volée   3. refus de coopérer avec la police

Phonétique

A. 1. pc   2. imp   3. imp   4. pc   5. imp   6. pc   7. imp   8. pc

Paroles et structures

D. *Réponse possible:*   1. Le plus souvent, je conduis une voiture de sport allemande.   **H.** *Réponse possible:* 2. Ma première voiture était gris clair.

EXERCICES ECRITS
Paroles

A. 1. les heures de pointe   2. la limite de vitesse   3. un embouteillage   4. une rue à sens unique   5. des feux rouges   6. une panne d'essence   7. un pneu crevé   8. une contravention   **E.** *Phrase possible:* Le rétroviseur sert à voir derrière la voiture.

Structures

A. 1. sommes partis   2. était   3. pleuvait   4. a commencé   5. avait   6. avons choisi   7. était   8. devait   9. conduisions   10. j'ai proposé   11. voulait   12. nous sommes arrêtés   13. pleuvait   14. pouvions   15. avons fait   16. sommes repartis   17. savais   18. était   19. faisait   20. conduisait   21. ai proposé   22. n'a pas voulu   23. J'ai dû   24. sommes arrivés   25. était   26. avait   27. avons eu   28. avons pu   **B.** *Question possible:* A à peu près quelle vitesse allaient les deux véhicules au moment de l'accident?

Chapitre 11

EXERCICES ORAUX
Avant d'écouter

A. 1. rénové   2. subventions, revenu   3. Les waters   4. répertoriés, diffusés

A l'écoute

A. 1. oui, 3   2. non   3. oui, 1   4. oui, 2   5. oui, 4   6. non   7. non   8. oui, 6   9. oui, 5
B. 1. V   2. F   3. V   4. F   5. V   6. F   7. F   8. V   **C.** 1. salle de bains exigée, waters séparés, une ou deux chambres, cuisine   2. subventions aux paysans, inspection des logements, diffusion   3. logement

répertorié; descriptif diffusé dans tous les offices de tourisme en France et à l'étranger   4. côté esthétique, revenu complémentaire   5. parisiens, Allemands, familles

Paroles et structures

C. *Réponse possible:*   1. Avant de partir, j'ai cherché mon maillot et une crème spéciale pour la peau sensible.
G. *Réponse possible:*   2. Je voyagerai avec ma sœur et notre meilleure amie.

EXERCICES ECRITS

Paroles

D. *Réponse possible:*   1. Quand j'avais 7 ans, j'aimais jouer à la poupée avec mes copines mais maintenant, je préfère sortir au cinéma avec elles.

Structures

A.   1. ai promise.   2. nous sommes réveillés   3. était   4. pleuvait   5. sommes sortis   6. avait   7. avait plu   8. avons trouvé   9. servait   10. a commandé   11. j'ai pris   12. brillait   13. avons décidé   14. avons trouvé   15. voulions   16. avait   17. faisait   18. avons changé   19. nous sommes arrêtés   20. avons pu   21. faisait   22. pouvions   23. avait   24. nous sommes dépêchés   25. sommes descendus   26. avons passé   27. avaient recommandés.   28. étaient   29. avons vu   30. dataient   31. avions   32. avons trouvé   33. servait   34. était   35. sommes allés   36. jouait   37. sommes   38. restés   39. avait   40. fallait   **B.**   1. Hélène a dit que la mer était très belle et que les plages étaient bondées.
2. Hélène a dit qu'elle avait fait de la planche à voile deux ou trois fois.   3. Hélène a dit qu'elle avait voulu ramasser des coquillages mais qu'il n'y en avait pas.   4. Hélène a dit que toutes les spécialités culinaires venaient de la mer.
5. Hélène a dit qu'elle avait beaucoup aimé la bouillabaisse.   6. Hélène a dit qu'il y avait des boîtes de nuit supers et même des casinos.   7. Hélène a dit qu'elle avait drôlement regretté de partir.

Chapitre 12

EXERCICES ORAUX

A l'écoute

A.   1. oui   2. non   3. oui   4. non   5. oui   6. oui   7. oui   **B.**   1. arrivée du train à Montparnasse
2. petit déjeuner sur le Boulevard Montparnasse, petite promenade dans Paris, taxi   3. douane   4. annonce du vol
5. départ vers la piste d'envol   6. retour au satellite d'embarquement   7. attente   8. restaurant   9. hôtel
10. départ de l'hôtel (en bus) / retour à l'aéroport   11. départ de l'avion   **C.**   1. V   2. F   3. F   4. V   5. F
6. F   7. F

Phonétique

1. tout   2. vu   3. pur   4. boule

Paroles et structures

C. *Réponse possible:*   1. Je vais prendre l'avion.

EXERCICES ECRITS

Paroles

A.   1. le douanier; Pourriez-vous me dire par où sortir pour chercher un taxi?   2. l'hôtesse ou le steward; Auriez-vous encore un sachet de sucre?   3. le contrôleur; Pourriez-vous me dire à quelle heure le train arrivera à Nice?
D. *Réponses possibles:*   1. De Chicago   2. Je compte rester trois mois; je vais suivre un cours de langue à Pau.
3. Rien du tout.   **E.** *Réponses possibles:* Il faut attacher la ceinture. Il ne faut ni boire ni manger.

Structures

A.   1. Oui, je les ai enregistrés.   2. Oui, il l'a attachée.   3. Non, nous ne l'avons pas regardé.   4. Oui, il l'a tout mangé.   5. Bien sûr qu'il les a remerciés.   6. Oui, nous les avons tous trouvés à l'arrivée.   7. Oui, il lui a montré son passeport.   8. Heureusement qu'il ne l'a pas inspectée.   9. Je ne sais pas si je veux les accompagner en Afrique l'année prochaine!   **B.**   1. Oui, c'est une bonne idée. Consulte-le pour la vérifier.   2. Oui, c'est une bonne idée. Réserve-la à l'avance.   3. Oui, c'est une bonne idée. Mets-les à la consigne.   4. Oui, c'est obligatoire. Composte-le à l'entrée du quai.   5. Oui, c'est obligatoire. Montre-le-lui.   6. Oui, c'est une bonne idée. Apporte-le dans le train.   7. Non, tu n'es pas obligée de le lui montrer à la frontière.   **C.**   1. tous les enfants   2. tout gentiment   3. tout excités   4. tout à fait   5. toutes les valises   6. malgré tout   **D.**   1. Oui, Maman, je suis sûr que j'ai tout remis dans ma valise.   2. Non, Maman, je ne l'ai pas oublié.   3. Non plus, Maman. Je ne les ai pas oubliées.   4. Non, Maman, je ne les lui ai pas rendues.   5. Non, Maman, je ne l'ai pas perdue.

Chapitre 13

EXERCICES ORAUX

A l'écoute

A.   1. 7 ans; lait au chocolat, tartines   2. 11 ans; fromage blanc, riz au lait avec cornflakes, yaourt   3. 14 ans; fromage blanc, fruit

B .

	Marina	Samuel	Karine
Hors-d'œuvre	pommes de terre à la vinaigrette	salades de riz composées (avec maïs, thon, tomates, etc.)	salades composées (pommes de terre, tomates, concombres)
plat principal	spaghetti	croissants fourrés	pizzas, croque-monsieur (sandwich au jambon et au fromage)
légumes	haricots au beurre	petits pois, carottes	pommes de terre
dessert	riz au lait, fruits	tartes	crêpes au sucre ou à la confiture

C.   1. le lait   2. salade avec plusieurs ingrédients. Exemples: riz + maïs / thon / tomates; pommes de terre / tomates / concombres.   3. jambon, gruyère

Paroles et structures

C. *Réponse possible:*   2. Les pains Turner sont tendres et bons, comme le pain du bon vieux temps.

EXERCICES ECRITS

Paroles

A. *Réponses possibles:*   1. café   2. de la confiture   3. un bretzel   4. de la salade au poulet   5. un Super Sundae fraise   6. hors-d'œuvre   7. tomates   8. veau   9. haricots verts   10. du brie et du chèvre   11. dessert   12. au chocolat   13. du vin rouge   **C.** *Réponse possible:* Je bois deux tasses de café au petit déjeuner et une tasse de café après le dîner.   **D.** *Réponse possible:*   4. Les œufs sont pleins de protéines mais aussi de cholestérol; il ne faut pas trop en prendre.

Structures

A.   1. les genoux   2. les yeux bleus   3. des feux d'artifice   4. des pâtés   5. des travaux culinaires   6. des clous de girofle   7. des salles à manger   8. des hors-d'œuvre   **B.**   1. l', qui, un   2. Le, qu'   3. Les, dont   4. Le, qui, le   5. de, de, du   6. qui, la, le, de l'   7. où, une, dont, dont   8. qui   9. qui, l', que, que   10. la, qu'   11. qu', une, dont, une, qui   12. de la, de, de   **C.**   1. Brigitte voit ce qui est sur la table.   2. C'est ce qu'elle veut.   3. C'est ce dont elle a envie.   4. C'est ce qui lui fait envie depuis son enfance.   5. C'est ce qu'elle décide de manger.   6. C'est ce qui la rend à la fois heureuse et honteuse.   **D.** *Réponse possible:*   1. Quand je suis malade, je bois du thé.

Chapitre 14

EXERCICES ORAUX

Avant d'écouter

1. dutch oven   2. applesauce

A l'écoute

A.   1. a. melon / crudités   b. bœuf aux carottes / pommes de terre   c. tarte aux pommes   2. a. boucherie b. marchand de fruits et légumes   c. boulangerie   **B.**   1. morceaux de bœuf, beurre, oignons, carottes, liqueur, bouillon   2. ajouter, faire chauffer, faire dorer, faire bouillir, faire flamber   **C.** 1   **D.** Déjà à la maison: crudités, carottes, pommes de terre, oignons, farine, beurre, liqueur, sucre, confiture   Ce qu'il faut acheter: melon, viande, pommes, pain

Dictée: *Réponse à la question:* b

Paroles et structures

C. *Réponse possible:*   2. J'en mange moins que le Français moyen.   **G.** *Réponse possible:*   3. Il n'y a jamais de moutarde ni de mayonnaise dans mon frigo.

EXERCICES ECRITS
Structures

A. *Réponses possibles:*   1. j'en ai pris chez le poissonnier.   2. je lui ai posé toutes sortes de questions sur les fruits de mer.   3. j'y en ai pris de belles.   4. j'en ai trouvé de très frais.   5. je le trouve très gentil et compétent. 6. je vais les servir ce soir.   7. s'il est aussi bon que d'habitude, j'y en prendrai un autre demain.   8. j'ai dû ressortir pour en prendre.   **B.**   1. Cherche-le!   2. Mets-la sur la table!   3. Prends-en trois, pas quatre!   4. Sors-la. 5. Souviens-toi de le préchauffer!   6. Ne les mets pas dans le sucre!

Chapitre 15

EXERCICES ORAUX
A l'écoute

A. *Plats mentionnés:* Assiette de crustacés, escargots, Pavé de Bœuf au Roquefort, Filet Mignon au Poivre Vert, Filet de Sole au Chablis, Lotte à l'Américaine, Coquilles Saint-Jacques à la Provençale, Magret de Canard, Salade de Saison, Plateau de Fromages. *Desserts:* Soufflé au Grand Marnier, Assiette de Sorbet au Coulis, Poire Belle-Hélène au Chocolat Chaud, Melba aux Fruits de Saison, Feuilleté aux fruits de Saison, Nougat Glacé, Gratin de Fruits.   **B.**   1. V   2. V 3. F   4. V   5. V   6. V   7. F   8. F   9. F   10. V   **C.** *Lui:* escargots, Pavé de Bœuf au Roquefort, Plateau de Fromages. *Elle:* Assiette de crustacés, Magret de Canard, Salade de Saison.   **D.**   1. juste à côté de la cathédrale   2. en Bourgogne (commentaires sur les escargots et sur les vins)

Paroles et structures

H. *Réponse possible:*   2. J'étudie le français depuis l'année dernière.

EXERCICES ECRITS
Paroles

A. *Réponse possible:*   1. On peut prendre des fruits et des légumes. On doit éviter les viandes et les volailles. **D.** *Réponse possible:*   1. Les personnes qui mangent avec les doigts me dérangent.

Structures

A.   1. Rochelle va apporter les siennes.   2. Dorianne tient à la sienne; elle ne l'apportera pas.   3. Nous aurons besoin des leurs.   4. Richard n'oublie jamais rien; il pensera au sien.   5. Caroline est très fière des siennes; elle veut nous les montrer.   6. Nous nous servirons des siens.   **C.**   1. ouvrons   2. éteint   3. allumons 4. disparais   5. viennent   6. sont   7. se plaignent   8. aperçois   9. s'arrêtent   10. commençons **D.** *Réponse possible:*   2. j'aurai un poste, j'achèterai une voiture de sport.

Chapitre 16

EXERCICES ORAUX
Avant d'écouter

B.   1. quotidien   2. un emprunt bancaire   3. un bilan

A l'écoute

A. 1, 10, 7, 2, 4, 9, 5, 3, 8, 6   **B.**   1. Définition du stress: état intérieur d'anxiété ou d'oppression.   2. Stress du Parisien: transports en commun, embouteillages, peur d'être en retard au bureau.   3. Stress dû aux obligations financières: remboursement de lourds emprunts bancaires (achats à crédit).   4. Stress de l'étudiant: quand il passe des examens et des concours.   5. Stress de la vie professionnelle: peur du chômage.   6. Stress de l'ingénieur: peur des mutations technologiques.   7. Stress du PDG: obligation constante d'être performant.   8. Stress dû à l'âge: problèmes de santé.   9. Stress du paysan: dettes à rembourser, désir d'avoir le même niveau de vie qu'à la ville. 10. Cause principale du stress: la société de consommation.

Dictée: dernière phrase: Mais c'est pour mieux te manger, mon enfant! Histoire: a. *Le Petit Chaperon rouge.*

Paroles et structures

C. *Réponse possible:*   1. Mais non, j'ai les cheveux châtains.   D. *Réponse possible:*   3. On voit aussi les deux poignets.

EXERCICES ECRITS

Paroles

B. *Réponse possible:*   1. je suis obligé(e) de passer mon samedi soir à la bibliothèque.

Structures

B. *Réponse possible:*   1. Le chocolat, de   C. *Réponse possible:*   2. Je pourrais passer de plus en plus de temps dans la salle de gymnastique et de moins en moins de temps devant la télé.   D.   2. Plus le semestre continue, moins j'ai le temps de dormir.   E.   1. me sentais   2. avait du mal à   3. je me suis fait mal   4. j'avais mal 5. me fait mal   6. sent

Chapitre 17

A l'écoute

B. Colère: 3: manque de respect, malhonnêteté, mensonge. Cafard: 3: solitude, pluie, froid. Peur: 2: certaines personnes, maladies circulatoires. Joie: 5: êtres aimés, lecture, promenades, couchers de soleil, musique.   C.   1. a 2. b   D.   1. Ils manquent de respect; font volontairement des remarques désagréables ou méchantes.   2. Perte ou diminution des facultés intellectuelles.

Dictée. *Réponse à la question:* lycéen (ou étudiant)

Paroles et structures

D. *Réponse possible*   1. Je me mets en colère quand mon camarade de chambre oublie d'éteindre ma chaîne-stéréo avant de sortir.

EXERCICES ECRITS

Structures

A. *Réponse possible:*   1. j'aurais envie de dormir.   D.   1. a rapporté   2. apporteront   3. amènera 4. l'emmènera   5. emporteront   6. avoir ramené   E. *Réponse possible:*   5. Mon petit frère ne me manque pas du tout.

Chapitre 18

EXERCICES ORAUX

Avant d'écouter

1. railroad   2. bruised   3. to swell   4. exposed, raw; to do a root canal   6. stiff   7. the bill

A l'écoute

A.   1. F   2. V   3. F   4. F   5. F   6. V   7. V   8. V   9. V   10. V   B.   1. dans la rue, on est tombé en traversant une voie ferrée   2. Franciska, amie   3. dent: cassée; nez: meurtri; bras: coude cassé; main: égratignée   4. (1) dentiste: dent provisoire pour protéger le nerf   (2) hôpital: radios, écharpe pour le bras (3) orthopédiste: conseils pour coude cassé   (4) dentiste #2: dévitalisation de la dent, pivot pour la couronne 5. bouger le plus possible mais ne rien porter de lourd   6. (1) porter des choses lourdes   (2) faire du vélo

Paroles et structures

D. *Réponse possible:*   4. Je préfère prendre une douche parce que c'est plus rapide.   G. *Réponse possible:*   3. Je devrais faire mes devoirs tous les jours.

EXERCICES ECRITS

Paroles

D. *Réponse possible:* 5. devenir un pianiste célèbre, je me serais inscrit(e) à un conservatoire plutôt qu'à une université.

Structures

B. *Réponse possible:* 1. j'aurais refusé de répondre.

Chapitre 19

EXERCICES ORAUX

A l'écoute

A. 3, 4, 5, 6, 8 **B.** 1. 21 ans 2. Paris 3. Noire 4. Martinique 5. famille sans père; culture antillaise 6. La petite fille à l'école qui lui a demandé pourquoi elle avait la peau foncée, était-ce parce qu'elle ne se lavait pas? 7. le fait qu'elle excellait à l'école et qu'elle avait toujours parlé la langue **C.** 1. Ils n'ont pas à communiquer en français jusqu'à ce qu'ils aillent à l'école. Problème de langue. 2. Les parents français ont voulu retirer leurs enfants des écoles fréquentées aussi par les Arabes; ils sentaient que leurs enfants étaient négligés. 3. Les normes d'hygiène. 4. Ils ne jouent jamais ensemble. 5. Phénomène social et politique qu'on ne peut pas ignorer. **D.** 1. a 2. c

Paroles et structures

G. *Réponse possible:* 1. Je voudrais aller en France, en Autriche, au Portugal et au Japon.

EXERCICES ECRITS

Paroles

1. un(e) émigrant(e), un(e) immigré(e) 2. une race, un groupe ethnique 3. discrimination, chauvinisme 4. le revenu, les impôts 5. une manifestation, une émeute 6. un agent, un gendarme **B.** *Réponse possible:* 4. l'attitude nationaliste qui veut que les Américains ne doivent s'adapter en rien aux «étrangers», qu'ils soient hispaniques, orientaux ou autres.

Structures

A. 1. de 2. en 3. sur 4. en 5. de 6. pour 7. de 8. en 9. à 10. à 11. De 12. à 13. en 14. à 15. au 16. de 17. au 18. à 19. le 20. à 21. à 22. à 23. pour **C.** *Réponse possible:* 1. les étudiants ont le droit de communiquer leurs volontés au conseil d'administration de l'université.

Chapitre 20

A l'écoute

A. 1, 2, 3, 5, 6, 7, 10, 13, 14 **B.** 1. V 2. F 3. V 4. V 5. F 6. F 7. F 8. V **C.** 1. a. deux saisons (saison sèche et saison des pluies) mais chaud toute l'année b. nord presque désertique, sud très fertile c. cacao, café, pétrole 2. a. un seul peuple b. colonie britannique, colonie française c. deux pays différents, de 1960 à 1972 d. République Unie du Cameroun, avec huit provinces francophones et deux provinces anglophones; deux langues officielles 3. Les Français ont gardé des liens étroits, tandis que les Anglais ont abandonné leurs anciennes colonies. 4. a. cinéma b. télévision c. magasins / produits d. journaux e. technologie 5. Ils ne respectent pas l'heure. La ponctualité n'est pas très importante pour eux. 6. Le concept occidental du temps est bon et nécessaire au développement du monde en général. 7. L'habitude africaine de se réunir le soir pour boire et discuter. Aux Etats-Unis, les gens pensent trop à eux-mêmes.

Paroles et structures

D. *Réponse possible:* 1. C'est une terre très verte, où les montagnes sont couvertes de sapins, où il y a plus de bois que d'édifices et où on trouve de nombreux petits lacs.

EXERCICES ECRITS

Paroles

A. 1. l'or 2. le fer 3. le cuivre 4. l'uranium **B.** *Réponse possible:* 2. C'est une forme de gouvernement où un seul ne détient pas tout le pouvoir et dans lequel le chef de l'Etat n'est pas héréditaire. La France est une république.

Structures

D. *Réponse possible:*　　1. Depuis combien de temps travaillez-vous dans le domaine de l'administration universitaire?

Chapitre 21

EXERCICES ORAUX
A l'écoute

A. 1, 2, 4　**B.**　　1. Gatineau; sud-ouest du Québec, près d'Ottawa.　　2. Elle n'avait pas le droit de se mélanger avec les anglophones, pour ne pas perdre la langue française.　　3. Elle avait des amis anglophones, mais pas beaucoup, parce que les francophones étaient bien plus nombreux dans la ville.　　4. Fierté de pouvoir parler français et d'avoir une culture différente des Anglais.　　**C.**　　1. De fin octobre à fin avril.　　2. Les enfants y faisaient des tunnels pour s'amuser.　　3. Extérieur: patin à glace, ski de fond, ski alpin, hockey. Intérieur: on se rencontre entre amis, on mange, on regarde la télé, on écoute de la musique, on lit.　　4. Les liens sont plus étroits entre les gens, les amitiés plus profondes.　　5. Tempête de glace qui recouvre tout.　　6. b

Paroles et structures

C. *Réponse possible:*　　2. J'étais beaucoup plus idéaliste il y a dix ans.

EXERCICES ECRITS
Paroles

C. *Réponse possible:*　　2. une personne à la fois ambitieuse et travailleuse　　**D.** *Réponse possible*:　　3. Le parti québécois ne pourra plus continuer à exister: ou bien il faut que le Québec s'assimile au Canada anglophone ou bien il souffrira de plus en plus de son isolement anachronique.

Structures

A.　1. —　2. —　3. es　4. —　5. e　6. —　7. s　**D.**　　1. Le paysage du Québec m'a impressioné.　2. En hiver, de la neige couvre tout le terrain et on sent le froid de novembre à avril.　　3. Au printemps les paysans préparent les champs, et ils sèment les graines.　　4. Les Québecois reçoivent bien la chaleur de l'été et même ils apprécient les orages.　　5. Et puis les paysans font la moisson et la récolte et préparent les champs pour l'hiver.　6. Les belles feuilles d'érable de toutes les couleurs annoncent l'arrivée de l'automne.